Knaur.

Knaur.

Über die Autorin:
Delphine de Vigan wurde 1966 in Paris geboren, wo sie heute noch mit ihren zwei Kindern lebt. Sie arbeitet tagsüber für ein soziologisches Forschungsinstitut und schreibt nachts, wenn alle schlafen, ihre Romane. *No & ich* wurde in elf Sprachen übersetzt und 2008 mit dem *Prix des Libraires* und dem *Prix Rotary International.*

Delphine de Vigan

No & ich

Roman

Aus dem Französischen von
Doris Heinemann

Knaur Taschenbuch Verlag

Die französische Originalausgabe erschien 2007 unter dem Titel
No et Moi bei Jean-Claude Lattès, Paris.

Besuchen Sie uns im Internet:
www.knaur.de

Vollständige Taschenbuchausgabe August 2010
Knaur Taschenbuch
Ein Unternehmen der Droemerschen Verlagsanstalt
Th. Knaur Nachf. GmbH & Co. KG, München

Umschlaggestaltung: ZERO Werbeagentur, München
Umschlagabbildung: Frederike Wetzels / buchcover.com
© VISUM Foto GmbH
Satz: Adobe InDesign im Verlag
Druck und Bindung: CPI – Clausen & Bosse, Leck
Printed in Germany
ISBN 978-3-426-50158-0

2 4 5 3 1

Für Iona und Arthur

»Ich sagte es Ihnen schon,
ich sah aufs Meer,
ich war in den Felsen versteckt
und sah aufs Meer.«

J. M. G. Le Clézio,
Lullaby

»Mademoiselle Bertignac, ich vermisse Ihren Namen auf der Referatsliste.«

Monsieur Marin fasst mich von ferne ins Auge, mit erhobener Braue und entspannt auf dem Schreibtisch liegenden Händen. Ich habe seinen Langstreckenradar nicht bedacht. Ich habe auf Aufschub gehofft und werde nun in flagranti erwischt. Fünfundzwanzig Augenpaare sind auf mich gerichtet und erwarten eine Antwort. *Das Hirn* wurde bei einem Fehltritt ertappt. Axelle Vernoux und Léa Germain kichern lautlos hinter vorgehaltener Hand, ein Dutzend freudig klingelnder Armbänder an ihren Handgelenken. Wenn ich hundert Kilometer tief unter der Erdoberfläche verschwinden könnte, irgendwo in der Lithosphäre, das wäre mir jetzt eine echte Hilfe. Ich habe einen Horror vor Referaten, ich habe einen Horror davor, vor der Klasse zu sprechen, vor mir tut sich die Erde auf, doch nichts rührt sich, nichts bricht in sich zusammen, am liebsten würde ich ohnmächtig, hier und jetzt, wie vom Blitz gefällt würde ich in meiner vollen Kürze hinschlagen, umgeben von einem Fächer aus Turnschuhen, mit ausgebreiteten Armen, und Monsieur Marin würde an die Tafel schreiben: »Hier ruht Lou Bertignac, die stumme, asoziale Klassenbeste.«

»... Ich wollte mich gerade eintragen.«

»Schön. Und mit welchem Thema?«

»Die Obdachlosen.«

»Das ist ein wenig allgemein, könnten Sie das präzisieren?«

Lucas lächelt mir zu. Seine Augen sind riesig, ich könnte darin ertrinken, darin verschwinden, oder ich könnte Monsieur Marin samt der ganzen Klasse von der Stille verschlucken lassen, ich könnte meinen Eastpak-Rucksack nehmen und wortlos hinausgehen, wie Lucas es so gut kann. Ich könnte mich entschuldigen und zugeben, dass ich keine Ahnung habe, ich habe das nur so gesagt, ich denke noch mal drüber nach, und nach der Stunde würde ich zu Monsieur Marin gehen und erklären, dass ich das nicht kann, ein Referat vor der ganzen Klasse zu halten, das übersteigt einfach meine Kräfte, tut mir wirklich leid, ich würde notfalls ein ärztliches Attest beibringen, krankhafte Unfähigkeit zu Referaten aller Art, mit Stempel und allem Drum und Dran, dann wäre ich davon befreit. Doch Lucas sieht mich an, und mir ist klar, dass er erwartet, mir werde etwas einfallen, er ist auf meiner Seite, er denkt, ein Mädchen wie ich könne sich nicht vor dreißig Mitschülern lächerlich machen, er hat die Hand zur Faust geballt, es fehlt nicht viel, und er schwingt sie über seinem Kopf wie die Fans, die im Stadion die Fußballspieler anfeuern, doch plötzlich wird die Stille lastend, man fühlt sich wie in der Kirche.
»Ich werde den Weg einer obdachlosen jungen Frau beschreiben, ihr Leben, also … ihre Geschichte. Ich meine … wie sie auf der Straße gelandet ist.«
Ein Beben geht durch die Reihen, man hört Getuschel.
»Sehr gut. Das ist ein schönes Thema. Jedes Jahr werden

mehr obdachlose Frauen registriert, und sie werden immer jünger. Auf welche Dokumente und Quellen wollen Sie sich dabei stützen, Mademoiselle Bertignac?«
Ich habe nichts mehr zu verlieren. Oder so viel, dass es sich an den Fingern einer Hand nicht abzählen lässt, nicht einmal an den Fingern von zehn Händen, es geht gegen unendlich.
»Den ... den Erlebnisbericht. Ich werde eine junge Obdachlose interviewen. Gestern haben wir uns getroffen, sie ist einverstanden.«
Andächtige Stille.
Monsieur Marin notiert auf seinem rosa Blatt meinen Namen und mein Referatthema, ich trage Sie für den 10. Dezember ein, dann haben Sie genug Zeit für zusätzliche Recherchen, er erinnert noch an ein paar allgemeine Regeln, nicht länger als eine Stunde, eine sozioökonomische Untersuchung, Beispiele, seine Stimme wird leiser, Lucas' Faust hat sich geöffnet, ich habe durchsichtige Flügel, ich schwebe über den Tischen, ich schließe die Augen, ich bin ein winziges Staubkorn, ein unsichtbares Partikel, seufzerleicht. Es klingelt. Monsieur Marin erlaubt uns, den Klassenraum zu verlassen, ich räume meine Sachen zusammen und ziehe meine Jacke über, da spricht er mich an.
»Mademoiselle Bertignac, auf ein Wort noch.«
Das war's dann wohl mit der Pause. Den Streich hat er mir schon einmal gespielt. In seiner persönlichen Zählung steht ein Wort für Tausende. Die anderen trödeln herum, sie sind neugierig. Inzwischen sehe ich auf meine Füße, mein Schnürsenkel ist offen, wie gewöhnlich. Wie

kommt es, dass ich mit meinem IQ von 160 zu blöd bin, mir die Schuhe zuzubinden?
»Passen Sie bei diesem Interview auf sich auf. Dass Sie nicht an die Falschen geraten. Vielleicht sollte Ihre Mutter oder Ihr Vater mitgehen.«
»Keine Sorge. Das ist alles geregelt.«

Meine Mutter verlässt die Wohnung schon seit Jahren nicht mehr, und mein Vater weint heimlich im Badezimmer. Das hätte ich ihm sagen sollen.
Dann hätte mich Monsieur Marin endgültig von der Liste gestrichen.

Dienstags und freitags, wenn ich früher aus der Schule komme, gehe ich oft zur Gare d'Austerlitz. Ich gehe hin und sehe mir die abfahrenden Züge an, wegen der Gefühlsbewegungen, die beobachte ich nämlich gern, die Gefühle anderer Leute, deshalb verpasse ich im Fernsehen auch kein Fußballspiel, ich liebe es, wenn sich die Leute nach einem Tor umarmen, sie rennen mit hochgestreckten Armen herum und umhalsen sich, und auch in *Wer wird Millionär?:* Man muss die Mädchen nur sehen, wenn sie die richtige Antwort gegeben haben, sie halten sich die Hände vor den Mund, werfen den Kopf in den Nacken, stoßen Schreie aus und so, und dabei stehen ihnen dicke Tränen in den Augen. Auf den Bahnhöfen ist es anders, die Gefühle lassen sich aus den Blicken erraten, aus den Gesten und Bewegungen, da trennen sich Liebespaare, Großmütter reisen wieder ab, Damen in weiten Mänteln lassen Herren mit hochgeschlagenen Kragen zurück oder umgekehrt, und ich beobachte diese Leute, die fortgehen, man weiß weder wohin noch warum, noch für wie lange, durch die Scheibe hindurch verabschieden sie sich, sie winken diskret oder rufen laut, obwohl man sie sowieso nicht hören kann. Mit ein wenig Glück erlebt man echte Trennungen, ich meine, dann spürt man deutlich, es wird lange dauern, oder es wird den Betreffenden lange vorkommen (was auf dasselbe hinausläuft), dann sind die Gefühle sehr dicht, es ist, als würde die Luft dicker, als wären sie allein und ringsum wäre niemand. Bei den ankommenden Zügen ist es genauso, ich stelle mich ans Ende des Bahnsteigs und beobachte die Wartenden, ihr angespanntes, ungeduldiges Gesicht, die suchenden Augen und dann plötzlich dieses Lächeln auf ihren Lippen, den erhobenen Arm, ihr Winken, während sie loslaufen, um sich in die Arme zu fallen – dieser Überschwang, das ist es, was ich am allerliebsten mag.

Kurzum, deshalb war ich auf der Gare d'Austerlitz. Ich wartete auf die Ankunft des TER um 16 Uhr 44 aus Clermont-Ferrand, der ist mein Lieblingszug, aus dem kommen alle möglichen Leute, Junge, Alte, gut Gekleidete, Dicke, Magere, schäbig Gekleidete, einfach alles. Irgendwann merkte ich, dass mir jemand auf die Schulter klopfte, ich brauchte eine Weile, denn ich war sehr konzentriert, und in einem solchen Fall könnte sich ein Mammut auf meinen Turnschuhen wälzen, ich würde nichts merken. Ich drehte mich um.

»Hast du mal 'ne Fluppe?«

Sie trug eine schmutzige Khaki-Hose, einen alten Blouson mit durchgescheuerten Ellbogen und einen Benetton-Schal, genauso einen wie den, den meine Mutter zur Erinnerung an ihre Jugend ganz hinten im Kleiderschrank aufbewahrt.

»Nein, tut mir leid, ich rauche nicht. Aber ich habe Pfefferminz-Kaugummis, wenn Sie möchten.«

Sie verzog den Mund, dann streckte sie die Hand aus, ich gab ihr das Päckchen, und sie stopfte es in ihre Tasche.

»Salut, ich heiße No. Und du?«

»No?«
»Ja.«
»Und ich Lou … Lou Bertignac.« (Normalerweise hat das eine gewisse Wirkung, weil die Leute glauben, ich sei mit dem Sänger verwandt, vielleicht sogar seine Tochter. Einmal, auf dem *Collège*, habe ich auch so getan als ob, aber dann wurde es schwierig, ich sollte Einzelheiten erzählen, Autogramme besorgen und so, schließlich musste ich doch mit der Wahrheit rausrücken.)
Es schien sie nicht zu beeindrucken. Ich dachte, es sei vielleicht nicht die Sorte Musik, die sie mochte. Sie ging zu einem Mann, der einige Meter entfernt stand und Zeitung las. Er verdrehte seufzend die Augen und zog eine Zigarette aus seiner Schachtel, sie griff danach, ohne ihn anzusehen, und kam dann zu mir zurück.
»Ich hab dich hier schon öfter gesehen. Was machst du hier?«
»Ich komme, um mir die Leute anzusehen.«
»Ach. Und bei dir zu Hause gibt's keine Leute?«
»Doch, aber das ist nicht dasselbe.«
»Wie alt bist du?«
»Dreizehn.«
»Du hast nicht zufällig zwei, drei Euro? Ich hab seit gestern Abend nichts gegessen.«
Ich suchte in meinen Hosentaschen, es waren noch ein paar Münzen da, ich sah sie gar nicht an, sondern gab sie ihr alle. Sie zählte sie, bevor sie die Hand schloss.
»In welche Klasse gehst du?«
»In die Zehnte.«
»Das ist doch nicht normal für dein Alter.«

»Äh … nein. Ich hab zwei Klassen Vorsprung.«
»Und wie kommt das?«
»Ich hab Klassen übersprungen.«
»Das hab ich verstanden, aber wie kommt es, dass du zwei Klassen übersprungen hast, Lou?«
Ich fand, dass sie irgendwie komisch mit mir redete, ich fragte mich schon, ob sie sich nicht über mich lustig machte, aber sie wirkte zugleich sehr ernst und sehr irritiert.
»Ich weiß auch nicht. Ich hab schon im Kindergarten lesen gelernt, also brauchte ich nicht in die erste Klasse zu gehen, und dann hab ich die vierte Klasse übersprungen. Ich hab mich nämlich so gelangweilt, dass ich mir die Haare um den Finger wickelte und den ganzen Tag daran zog. Nach einigen Wochen hatte ich eine kahle Stelle. Nach der dritten kahlen Stelle wurde ich in die nächste Klasse versetzt.«
Ich hätte ihr auch gern Fragen gestellt, aber ich war zu eingeschüchtert, sie rauchte ihre Zigarette und musterte mich von oben bis unten, als suche sie nach etwas, was ich ihr geben könnte. Es war still geworden (zwischen uns, meine ich, ansonsten brüllte uns die synthetische Stimme aus den Lautsprechern in die Ohren), daher fühlte ich mich zu dem Zusatz bemüßigt, es sei jetzt besser geworden.
»Was ist besser geworden, die Haare oder die Langeweile?«
»Öm … beides.«
Sie lachte.
Da sah ich, dass ihr ein Zahn fehlte, und ich brauchte

nicht einmal eine Zehntelsekunde für die richtige Antwort: ein Prämolar.

Mein ganzes Leben lang habe ich mich außerhalb gefühlt, wo auch immer, außerhalb des Bilds, außerhalb des Gesprächs, neben der Situation, als könnte ich als Einzige Geräusche oder Worte hören, die die anderen nicht wahrnehmen, wäre dabei aber taub für die Worte, die die anderen anscheinend hören, als wäre ich außerhalb des Rahmens oder auf der anderen Seite einer riesigen unsichtbaren Glaswand.

Aber gestern war ich dabei, bei ihr, ich bin sicher, man hätte einen Kreis um uns ziehen können, einen Kreis, aus dem ich nicht ausgeschlossen gewesen wäre, einen Kreis, der uns beide umfing und uns für einige Minuten vor der Welt schützte.

Ich konnte nicht länger bleiben, mein Vater wartete auf mich, doch ich wusste nicht, wie ich mich von ihr verabschieden sollte, ob ich sie mit Madame oder Mademoiselle anreden sollte oder einfach mit No, ich kannte ja ihren Vornamen.

Ich löste das Problem mit einem einfachen *au revoir*, denn ich dachte mir, sie gehöre schon nicht zu den Leuten, die sich über schlechte Manieren und all den anderen Kram aufregen, den man im gesellschaftlichen Verkehr beachten muss. Ich drehte mich noch einmal um und winkte ihr kurz zu, und sie stand da und sah mir nach, es tat mir weh, denn schon an ihrem Blick, an der Leere ihres Blicks, erkannte man, dass sie niemanden hatte, der auf sie wartete, kein Zuhause, keinen Computer und vielleicht auch keinen Ort, an den sie gehen konnte.

Beim Abendessen fragte ich meine Mutter, wie es komme, dass noch ganz junge Mädchen schon auf der Straße lebten, und sie antwortete seufzend, so sei das Leben nun einmal: ungerecht. Ausnahmsweise hakte ich nicht nach, obwohl die ersten Antworten häufig Ausweichmanöver sind, das weiß ich schon lange.

Ich sah wieder ihre Blässe vor mir, ihre durch die Magerkeit vergrößerten Augen, die Farbe ihres Haars, ihren rosafarbenen Schal, und stellte mir unter der dicken Schicht ihrer drei Blousons ein Geheimnis vor, ein Geheimnis, das wie ein Stachel in ihrem Herzen steckte und das sie noch niemandem verraten hatte. Ich wäre gern bei ihr gewesen. Mit ihr zusammen. Ich lag in meinem Bett und bedauerte, dass ich sie nicht nach ihrem Alter gefragt hatte. Sie hatte so jung ausgesehen.

Und zugleich hatte ich den Eindruck gehabt, sie kenne das Leben wirklich, oder vielmehr, sie kenne etwas vom Leben, das einem Angst macht.

Lucas hat sich auf seinen Platz in der letzten Reihe gesetzt. Von meinem Platz aus kann ich sein Profil sehen, seinen trotzigen Gesichtsausdruck. Ich kann sein offenes Hemd sehen, die zu große Jeans, die nackten Füße in den Turnschuhen. Weit zurückgelehnt und mit verschränkten Armen sitzt er auf seinem Stuhl, in Beobachterposition, als wäre er nur zufällig, aufgrund einer fehlerhaften Wegbeschreibung oder eines Irrtums der Verwaltung, hier gelandet. Die Tasche, die neben seinem Tisch auf dem Boden liegt, sieht aus, als wäre sie leer. Ich beobachte ihn verstohlen und denke daran, wie er an meinem ersten Schultag war.
Ich kannte niemanden und hatte Angst. Ich hatte mich nach hinten gesetzt. Monsieur Marin verteilte die Anmeldebögen, Lucas drehte sich nach mir um und lächelte mir zu. Die Bögen waren grün. Die Farbe ist jedes Jahr anders, aber die auszufüllenden Felder sind immer gleich, Name, Vorname, Beruf der Eltern, und dann muss man noch einen Haufen Auskünfte geben, die niemanden etwas angehen. Lucas hatte keinen Stift, also lieh ich ihm einen, ich streckte ihm den Stift entgegen, so weit ich es von meiner Seite des Mittelgangs aus schaffte.
»Monsieur Muller, ich sehe, Sie sind bestens auf den Schuljahrsbeginn vorbereitet. Haben Sie Ihre Stifte am Strand liegenlassen?«
Lucas antwortete nicht. Er warf einen Blick in meine

Richtung, ich hatte Angst um ihn. Doch Monsieur Marin fing an, die Stundenpläne zu verteilen. Ich war auf meinem Bogen bei dem Feld »Geschwister« angekommen. Null, schrieb ich hin, in Buchstaben.

Dass man das Fehlen einer Menge durch eine Zahl ausdrückt, versteht sich nicht von selbst. Das habe ich in meinem Wissenschaftslexikon gelesen. Das Fehlen eines Gegenstands oder einer Person lässt sich besser durch ein »gibt es nicht« (oder »nicht mehr«) ausdrücken. Zahlen bleiben abstrakt, und die Null drückt weder das Fehlen noch den Schmerz aus.

Ich hob den Kopf und bemerkte, dass Lucas mich ansah. Ich schreibe nämlich mit links und stark umgebogenem Handgelenk, darüber wundern sich die Leute immer: so viel Umstand, bloß um einen Stift zu halten. Er sah mich an, als frage er sich, wie etwas so Kleines wie ich es so weit hatte bringen können. Monsieur Marin rief uns alle namentlich auf, dann begann er mit der ersten Stunde. In diesem Moment aufmerksamen Schweigens überlegte ich mir, dass Lucas Muller zu den Menschen gehörte, denen das Leben keine Angst macht. Er lehnte immer noch in seinem Stuhl und schrieb nicht mit.

Inzwischen kenne ich alle Namen, Vornamen und Gewohnheiten der Klasse, die Sympathien und Rivalitäten, Léa Germains Lachen und Axelles Tuscheln, Lucas' unendlich lange Beine, die in den Gang hineinragen, Lucilles klimperndes Mäppchen, Corinnes langen Zopf, Gauthiers Brille. Auf dem Foto, das kurz nach dem Schuljahrsbeginn aufgenommen wurde, stehe ich vorn, da wo die Kleinsten immer stehen müssen. Über mir, ganz oben, steht Lucas, er wirkt verdrossen. Wenn es stimmt, dass man durch zwei Punkte eine und nur eine Gerade ziehen kann, dann werde ich irgendwann diese Gerade ziehen, von ihm zu mir oder von mir zu ihm.

No sitzt auf dem Boden, sie hat sich an einen Pfeiler gelehnt und vor sich eine leere Thunfischdose gestellt, in der schon einige Münzen liegen. Ich habe nicht erst auf der Anzeigetafel nach den Ankunfts- und Abfahrtszeiten der Züge geschaut, ich bin direkt zu den Bahnsteigen gegangen, zu der Stelle, an der sie mich angesprochen hatte, ich gehe entschlossen auf sie zu, und dabei bekomme ich plötzlich Angst, sie könne mich vergessen haben.

»Salut.«

»Na so was, Lou Bertignac.«

Sie sagt es überheblich, in dem Ton, in dem man in der Werbung oder in lustigen Sketchen leicht Versnobte imitiert. Fast hätte ich den Rückzug angetreten, aber ich habe ziemlich lange geübt und will nicht gleich aufgeben.

»Ich dachte, wir könnten irgendwo einen Kakao trinken gehen … oder so … Wenn du Lust hast. Ich lade dich ein.«

Sie springt auf, schnappt sich ihre Segeltuchtasche, murmelt, sie könne nicht einfach alles so liegenlassen, und zeigt dabei mit dem Kinn auf ein Rollenköfferchen und zwei berstend volle Plastiktüten, ich nehme die Tüten und überlasse ihr den Koffer, hinter mir höre ich ein Danke, ihre Stimme klingt weniger selbstsicher als beim ersten Mal. Ich bin stolz, das getan zu haben, den Anfang

zu machen, dennoch habe ich eine Todesangst bei dem Gedanken, ihr gegenüberzusitzen. In der Nähe der Fahrkartenschalter begegnen wir einem Mann in einem langen dunklen Mantel, der ihr ein Zeichen gibt, ich drehe mich um und sehe sie in derselben Weise antworten, mit einer fast unmerklichen winzigen Kopfbewegung, in den Bahnhöfen seien viele Bullen, sagt sie mir als Erklärung. Ich wage nicht nachzufragen, ich sehe mich nach weiteren um, aber ich sehe nichts, man braucht wohl viel Übung, um sie zu erkennen. Als ich in das Lokal neben der Anzeigetafel mit den Abfahrtszeiten treten will, hält sie mich an der Schulter zurück. Da könne sie nicht rein, da sei sie unerwünscht. Lieber sei ihr ein Lokal außerhalb. Wir kommen am Zeitschriftenladen vorbei, sie macht einen kleinen Umweg und sagt der Frau an der Kasse guten Tag. Ich sehe von ferne zu, die Frau hat einen großen Busen, einen geschminkten Mund und flammend rotes Haar, sie gibt No ein Bounty und ein Päckchen Butterkekse, dann kommt No zu mir zurück. Wir überqueren den Boulevard und gehen in eine dieser großfenstrigen Brasserien, die alle gleich aussehen, ich kann gerade noch den Namen über dem Eingang lesen. Drinnen im *Relais d'Auvergne* riecht es nach Wurst und Kohl, in meiner inneren Datenbank suche ich nach einer kulinarischen Spezialität, die zu diesem Geruch passen könnte, Kohleintopf, Kohlrouladen, Rosenkohl, Weißkohl, hier schieben die Leute Kohldampf, die wollen uns bloß verkohlen, immer muss ich auf Abwege geraten, mich verzetteln, es nervt, aber ich kann nicht anders.
Wir setzen uns, No behält ihre Hände unter der Tisch-

platte. Ich bestelle eine Cola, sie nimmt einen Wodka. Der Kellner zögert einen Moment, gleich wird er nach ihrem Alter fragen, doch sie hält seinem Blick mit unglaublicher Unverfrorenheit stand, *halt dich raus, du Knallkopf*, sagen ihre Augen, da bin ich mir sicher, lesbar wie auf einem Plakat, dann sieht er ihren löchrigen Blouson, den sie obendrüber trägt, und wie schmutzig er ist, in Ordnung, sagt er und geht.

Ich sehe oft, was in den Köpfen der Leute vorgeht, es ist wie eine Schnitzeljagd, ein roter Faden, den man nur durch die Finger gleiten lassen muss, er ist zart und führt einen zur Wahrheit über die Welt, der Wahrheit, die nie enthüllt wird. Einmal hat mir mein Vater gesagt, dass er das beängstigend finde, man dürfe damit nicht spielen und müsse in der Lage sein, den Blick abzuwenden, um seine Kinderaugen zu behalten. Aber ich kann meine Augen nicht verschließen, sie sind weit offen, manchmal halte ich sie mir mit den Händen zu, um nicht zu sehen.

Der Kellner kommt zurück und stellt uns die Gläser hin, No greift hastig nach ihrem. Und da sehe ich ihre schmutzigen Hände, die bis ins Fleisch abgekauten Nägel, die Kratzwunden an den Handgelenken. Es ist wie ein Schlag in die Magengrube.

So trinken wir, schweigend, ich suche nach Worten, doch es kommt keins, ich sehe sie an, sie sieht so müde aus, nicht nur wegen der Augenringe, des mit einem alten Haargummi zusammengehaltenen verfilzten Haars und der schäbigen Kleidung, *kaputt*, das ist das Wort, das mir in den Sinn kommt, es tut weh, dieses Wort, ich weiß

nicht mehr, ob sie schon beim ersten Mal so war, vielleicht hatte ich es nicht bemerkt, aber mir scheint eher, dass sie sich in den wenigen Tagen verändert hat, sie ist blasser oder auch schmutziger, und ihr Blick ist schwerer aufzufangen.
Sie spricht als Erste.
»Wohnst du hier in der Gegend?«
»Nein. Bei der Metrostation Filles du Calvaire. In der Nähe vom Cirque d'Hiver. Und du?«
Sie lächelt. Sie breitet die Hände aus, ihre schmutzigen, leeren Hände, eine Geste der Ohnmacht, die bedeutet: nichts, nirgends, hier … ich weiß nicht.
Ich trinke einen großen Schluck Cola und frage:
»Und wo schläfst du?«
»Mal hier, mal da. Bei irgendwelchen Leuten. Bekannten. Selten mehr als drei oder vier Tage am selben Ort.«
»Und deine Eltern?«
»Ich hab keine.«
»Sind sie tot?«
»Nein.«

Sie fragt mich, ob sie sich noch etwas zu trinken bestellen dürfe, sie zappelt unter dem Tisch mit den Füßen, sie ist außerstande, sich zurückzulehnen oder ihre Hände ruhig irgendwo hinzulegen, sie beobachtet mich, mustert meine Kleidung, nimmt eine andere Haltung ein, kehrt zur vorherigen zurück, dreht ein orangefarbenes Feuerzeug zwischen den Fingern. Ihr ganzer Körper ist ständig in Bewegung und angespannt, so sitzen wir da und warten auf den Kellner, ich versuche zu lächeln, um natürlich zu wirken, aber nichts ist schwerer, als natürlich zu wirken, wenn man sich genau das vornimmt, obwohl ich sehr viel Übung darin habe. Ich halte die Flut der Fragen zurück, die mir durch den Kopf schießen, wie alt bist du, seit wann gehst du nicht mehr zur Schule, wie sorgst du für dein Essen, was sind das für Leute, bei denen du übernachtest, ich habe Angst, sie könnte dann weggehen und sich darüber klar werden, dass sie mit mir nur ihre Zeit verschwendet.

Sie nimmt ihren zweiten Wodka in Angriff, steht auf, um sich eine Zigarette vom Nebentisch zu schnappen (unser Nachbar ist zur Toilette hinuntergegangen und hat die Schachtel liegenlassen), inhaliert dann tief und fordert mich auf, mit ihr zu reden.

Sie sagt weder »Und du?« noch »Was treibst du so im Leben?«, sie sagt genau das:

»Kannst du mit mir reden?«

Reden ist nicht so mein Ding, ich habe immer den Eindruck, die Wörter entwischen mir, sie entziehen sich, zerstreuen sich, es ist keine Frage des Vokabulars oder der Begriffe, denn Wörter kenne ich zuhauf, doch sobald ich sie ausspreche, verschwimmen und zersplittern sie, deshalb vermeide ich Berichte und Vorträge, ich beschränke mich auf die Beantwortung der Fragen, die man mir stellt, den Überschuss, die Fülle der Wörter, die ich im Stillen sammle, um der Wahrheit näherzukommen, behalte ich für mich.

Doch No sitzt vor mir, und ihr Blick ist wie eine Bitte.

Also lege ich los, wild durcheinander, auch wenn ich mich völlig nackt fühle, auch wenn es Blödsinn ist. Als ich klein war, hielt ich unter meinem Bett eine Schatzkiste mit allen möglichen Erinnerungsstücken versteckt, einer Pfauenfeder aus dem Botanischen Garten, Tannenzapfen, bunten Wattekugeln zum Abschminken, einem blinkenden Schlüsselanhänger und so; eines Tages habe ich ein letztes Souvenir hineingelegt, was für eins, kann ich dir nicht sagen, ein sehr trauriges, es markierte das Ende meiner Kindheit, ich habe die Kiste verschlossen, unter mein Bett geschoben und sie nie wieder in die Hand genommen; übrigens habe ich noch mehr Kisten, eine für jeden Traum; die anderen in meiner neuen Klasse nennen mich *das Hirn*, sie ignorieren mich oder gehen mir aus dem Weg, als hätte ich eine ansteckende Krankheit, aber im Grunde weiß ich, es liegt an mir, ich bin nicht imstande, mit ihnen zu reden und zu lachen, ich halte mich abseits, es gibt auch einen Jungen, Lucas, manchmal kommt er nach dem Unterricht zu mir, er lächelt mir zu, er ist eine Art Klassenboss, der von allen respektiert wird, er ist sehr groß und sehr schön und so, aber ich trau mich nicht, mit ihm zu reden, abends mache ich ratzfatz meine Hausaufgaben, und danach gehe ich meinen eigenen Beschäftigungen nach, ich suche neue Wörter, es ist wie ein Taumel, denn es gibt Tausende von Wörtern, ich schneide sie aus der Zeitung aus, um sie zu domestizieren, ich klebe sie in die großen Blanko-Hefte, die meine Mutter mir geschenkt hat, als sie aus dem Krankenhaus entlassen wurde, und ich habe auch viele Lexika, aber ich benutze sie nicht mehr so oft, ich weiß sie schon auswendig, ganz hinten im Schrank habe ich ein Geheimversteck, mit allen möglichen Sachen, die

ich auf der Straße aufgelesen habe, Verlorenes, Zerbrochenes, Weggeworfenes und so …
Sie schaut mich an, sie wirkt amüsiert, sie scheint mich nicht seltsam zu finden, nichts scheint sie zu erstaunen, ihr gegenüber kann ich meine Gedanken aussprechen, auch wenn sie durcheinandergeraten und sich überschlagen, ich kann die Unordnung aussprechen, die in meinem Kopf herrscht, ich kann *und so* sagen, ohne dass sie mich zur Ordnung ruft, denn sie versteht, was ich damit meine, da bin sicher, sie weiß, dass *und so* für all das steht, was man hinzufügen könnte, aber für sich behält, aus Faulheit, Zeitmangel oder auch, weil man so etwas nicht sagen darf.
Sie legt ihre Stirn zwischen ihre Arme auf die Tischplatte, und ich rede weiter, ich weiß nicht, ob mir das schon einmal passiert ist, ich meine, ob ich schon jemals so lange geredet habe, wie in einem Monolog auf der Bühne, ohne jede Antwort, und dann schläft sie einfach ein, ich habe meine Cola ausgetrunken und bleibe sitzen, ich schaue sie an, wie sie schläft, das wenigstens hat sie schon mal davon gehabt, die Wärme des Lokals und die gut gepolsterte Bank, die ich ihr absichtlich überlassen habe, ich kann es ihr nicht verübeln, ich bin auch eingeschlafen, als wir mit der Klasse im Theater *L'École des femmes* gesehen haben, dabei war es wirklich gut, aber ich hatte zu viel im Kopf – das ist dann wie bei einem Computer, das System versetzt sich in den Ruhezustand, um den Speicher zu schützen.
Gegen sieben kriege ich allmählich doch Schiss, dass ich ausgeschimpft werde, ich schüttele sie sanft.

Sie öffnet ein Auge, und ich flüstere:
»Tut mir leid, aber ich muss jetzt gehen.«
Die Maschen ihres Pullovers haben auf ihrer Wange ein Muster hinterlassen.
»Hast du bezahlt?«
»Ja.«
»Ich bleib noch ein bisschen hier.«
»Können wir uns wiedersehen?«
»Von mir aus.«

Ich ziehe meinen Mantel über und gehe. Auf der Straße drehe ich mich noch einmal um, um ihr durch die Scheibe zuzuwinken, doch No sieht mich nicht an.

Mademoiselle Bertignac, bitte kommen Sie nach der Stunde zu mir, ich habe zu Ihrem Thema ein wenig recherchiert und Material für Sie mitgebracht.«
»Ja, Monsieur.«
Man soll »Ja, Monsieur« sagen. Man soll die Klasse schweigend betreten, seine Sachen aus der Tasche holen, beim Verlesen der Namensliste »anwesend« sagen, und zwar laut und deutlich, nach dem Klingeln warten, bis Monsieur Marin das Zeichen zum Aufstehen gibt, man soll nicht mit den Füßen unter dem Stuhl wippen, während des Unterrichts nicht auf sein Handy schauen und auch nicht auf die große Uhr im Klassenzimmer, man soll nicht mit seinem Haar spielen, nicht mit seinem Nachbarn oder seiner Nachbarin tuscheln, man soll weder den Hintern noch den Bauchnabel sehen lassen, man soll aufzeigen, bevor man etwas sagt, auch bei vierzig Grad im Schatten die Schultern bedecken, man soll keine Bleistiftenden und schon gar keinen Kaugummi kauen. Und so weiter. Monsieur Marin ist der Schrecken des Gymnasiums. Er ist gegen Strings, Hüfthosen, über den Boden schleifende Hosen, gegen gegeltes und gebleichtes Haar. Mademoiselle Dubosc, Sie dürfen gern wieder zum Unterricht kommen, wenn Sie Kleidungsstücke tragen, die diesen Namen verdienen, Monsieur Muller, hier bitte, ein Kamm, ich gebe Ihnen zwei Minuten, dann sind Sie gekämmt wieder hier.

Mein sehr guter Notendurchschnitt schützt mich keineswegs, vom ersten Tag an rügt er mich, sobald ich aus dem Fenster sehe, sobald ich abwesend bin, und sei es nur für zwei Sekunden, Mademoiselle Bertignac, würden Sie so liebenswürdig sein und in unsere Mitte zurückkehren, Sie haben immer noch genug Zeit, sich in Ihre Innenwelt zurückzuziehen, sagen Sie mir doch, wie ist das Wetter in Ihren Sphären? Monsieur Marin muss über den Körper verteilt ein Dutzend unsichtbarer Augenpaare haben, in den Nasenlöchern einen Unaufmerksamkeits-Detektor und außerdem Fühler wie eine Schnecke. Er sieht und hört alles, nichts entgeht ihm. Dabei laufe ich nicht bauchfrei herum, mein Haar ist glatt und mit Spangen gebändigt, ich trage normale Jeans und langärmlige Pullis, ich tue alles, um nicht aufzufallen, ich gebe keinen Laut von mir, ich spreche nur, wenn er mich fragt, und ich bin dreißig Zentimeter kleiner als die meisten meiner Mitschüler. Alle haben Respekt vor Monsieur Marin. Nur Lucas bringt es fertig, den Klassenraum zu verlassen, nachdem er ihm mit hoch erhobenem Kopf geantwortet hat: Kämme sind wie Zahnbürsten, Monsieur Marin, so was verleiht man nicht.

»Schätzungen zufolge gibt es in Frankreich zwischen 200.000 und 300.000 Personen ohne festen Wohnsitz, 40 Prozent von ihnen sind Frauen, die Zahl nimmt stetig zu. Und bei den Obdachlosen zwischen 16 und 18 Jahren beträgt der Frauenanteil sogar 70 Prozent. Sie haben sich ein gutes Thema ausgesucht, Mademoiselle Bertignac, auch wenn es schwer zu behandeln sein wird, ich habe

Ihnen in der Bibliothek ein sehr interessantes Buch über die Ausgrenzung in Frankreich ausgeliehen, das übergebe ich Ihnen zu treuen Händen, und dazu noch diese Kopie eines Artikels, der kürzlich in *Libération* erschienen ist. Sie können jederzeit zu mir kommen, wenn Sie Hilfe brauchen. Ich traue Ihnen zu, dass Ihr Referat weniger dröge ausfällt als das Ihrer Schulkollegen, Sie haben das Zeug dazu, aber jetzt halte ich Sie nicht länger auf, gehen Sie und genießen Sie Ihre Pause.«

Ich habe einen Kloß im Hals, und in meinen Augen brennt es. Auf dem Schulhof gehe ich zu meiner Ecke in der Nähe der Bank, ich lehne mich an den einzigen Baum weit und breit, es ist, als wäre er mein Baum, nach zwei Monaten versucht niemand mehr hierherzukommen, hier ist mein Platz, von ferne beobachte ich die anderen, die Mädchen kichern und stoßen sich mit dem Ellbogen an, Léa trägt einen langen Rock und Schnürstiefelchen, sie schminkt sich, sie hat blaue Mandelaugen und ist unerhört schlagfertig, sie hat immer etwas Lustiges oder Interessantes zu sagen, alle Jungs sehen ihr nach, auch Axelle, obwohl sie nicht so hübsch ist, sie hat keine Angst, das sieht man, sie hat vor gar nichts Angst, nach der Schule trinken sie zusammen einen Kaffee, sie telefonieren miteinander, schicken sich gegenseitig SMS, chatten abends auf MSN und gehen mittwochs nachmittags zu H&M.
Einmal, kurz nach Schuljahrsbeginn, haben sie mich zu ihrem Geburtstag eingeladen, ich habe mich bedankt und auf meine Füße geschaut und gesagt, ich käme. Eine

Woche lang habe ich überlegt, was ich anziehen sollte, ich hatte an alles gedacht, ich hatte bei Radiomusik tanzen geübt und jeder ein Geschenk gekauft, und dann kam der betreffende Abend. Ich zog meine schönste Jeans an und das T-Shirt von Pimkie, meine dicken Stiefel, meine schwarze Jacke, ich hatte mir morgens die Haare gewaschen, damit sie seidiger wären, und dann betrachtete ich mein Spiegelbild. Ich war ganz klein: Ich hatte kleine Beine, kleine Hände, kleine Augen, kleine Arme, ich war irgend so etwas Kleines, das nach nichts aussah. Ich stellte mir vor, wie ich im Wohnzimmer von Léa Germain tanzen würde, mitten unter den anderen, ich legte die Tüte mit den Geschenken wieder ab, zog meine Jacke aus und schaltete den Fernseher an. Meine Mutter saß auf dem Sofa, sie hatte alles beobachtet, und ich sah genau, dass sie überlegte, was sie sagen sollte, es hätte nicht viel sein müssen, bestimmt nicht, wenn sie zum Beispiel gesagt hätte, du bist sehr hübsch, oder auch nur, du bist richtig niedlich, ich glaube, dann hätte ich die Kraft gefunden loszugehen, auf den Fahrstuhlknopf zu drücken und so. Doch meine Mutter verharrte in ihrem Schweigen, und ich sah die Werbung, in der ein Mädchen ein Zauber-Deo benutzt und dann mitten zwischen den Leuten tanzt, ein Blitzlichtgewitter, und sie dreht sich in ihren Volantröcken, am liebsten hätte ich geweint.

Montags habe ich mich bei ihnen entschuldigt, ich habe Familiengründe vorgeschützt. Axelle sagte, ich hätte das Fest des Jahres verpasst, und ich schaute zu Boden. Seit diesem Tag haben Léa Germain und Axelle Vernoux kein Wort mehr mit mir gesprochen.

Einmal hat mir Madame Cortanze, eine Psychologin, zu der ich einige Monate lang ging, erklärt, was es heißt, intellektuell frühreif zu sein. »Stell dir vor, du wärst ein supermodernes Auto und hättest viel mehr Funktionen und Möglichkeiten als die meisten Autos, du wärst schneller und leistungsfähiger. Das ist eine enorme Chance. Aber es ist nicht einfach. Denn niemand weiß genau, über welche Möglichkeiten du verfügst oder was du damit anfangen kannst. Nur du kannst es wissen. Und außerdem ist Schnelligkeit gefährlich. Denn mit deinen acht Jahren kennst du nicht unbedingt die Straßenverkehrsordnung, vielleicht kannst du noch nicht einmal fahren. Es gibt vieles, was du lernen musst: bei Regen und bei Schnee fahren, auf die anderen Wagen achten, sie respektieren und dich ausruhen, wenn du zu lange gefahren bist. Darin nämlich besteht das Erwachsenwerden.«
Ich bin jetzt dreizehn, und ich erkenne klar, dass ich nicht im richtigen Sinne erwachsen werde, ich kann die Schilder nicht deuten, ich beherrsche mein Fahrzeug nicht, ständig schlage ich die falsche Richtung ein, und ich habe oft das Gefühl, auf einem Auto-Skooter gefangen zu sein, statt auf einer Rennbahn zu fahren.

Ich lehne an meinem Baum und versuche mir eine Krankheit einfallen zu lassen, die ich um den 10. Dezember herum wirklich bekommen könnte, irgendetwas so

Schwerwiegendes, dass niemand einen Zusammenhang mit meinem Referat unterstellen könnte. Tetanus oder Tuberkulose erscheinen mir zu unrealistisch, wegen der Impfungen und so, Knochenbrüche sind zu schmerzhaft (das weiß ich, weil ich mir letztes Jahr beim Spielen mit meinen Cousins den Arm gebrochen habe), und außerdem kann man nicht sicher sein, dass man damit zu Hause bleiben darf, Hirnhautentzündung würde die Schließung der Schule zur Folge haben, aber man kann daran sterben, und um das Pfeiffersche Drüsenfieber zu bekommen, muss man Jungs küssen, das steht noch nicht an. Kurzum, selbst wenn ich Rinnsteinwasser trinke oder kopfüber in die Biomülltonne unseres Wohnhauses tauche, kann ich nicht sicher sein, mir etwas einzufangen. Und so klassische Geschichten wie Schnupfen und Angina kann ich gleich vergessen. Ich werde nur alle fünf Jahre einmal krank, und dann in den Schulferien. Bleibt mir nur, auf einen Bombenalarm zu hoffen oder auf einen Terroranschlag, nach dem das komplette Gebäude neu wiederaufgebaut werden müsste.

Gerade hat es geklingelt. Die anderen Schüler machen sich wieder auf den Weg in ihre Klassenräume, bis dann, sagen sie und schlagen sich in die Hände, Lucas kommt näher, man könnte meinen, er käme auf mich zu, und ich überlege, wie ich mir eine Haltung geben könnte, und bohre die Hände in die Hosentaschen, wieso ist es in meinem Mantel plötzlich fünfzig Grad heiß? Wär ich bloß mit einer *Notkühlungsanlage* ausgestattet, das wär mir jetzt eine echte Hilfe.

»Na, mit deinen Obdachlosen hast du ja ins Schwarze getroffen! Marin wird dich nicht mehr aus den Klauen lassen, das ist die Sorte Thema, die ihn richtig antörnt.«
Ich bin stumm. Ein Karpfen. Meine Neuronen müssen sich durch ein Hintertürchen verdrückt haben, mein Herz schlägt, als wäre ich gerade sechshundert Meter gelaufen, ich bringe keine Antwort zustande, nicht einmal ein Ja oder ein Nein, vermutlich biete ich einen erbärmlichen Anblick.
»Keine Sorge, Krümel, das klappt schon, da bin ich sicher. Weißt du, ich hatte Marin auch schon letztes Jahr. Bei den Referaten ist er cool. Er freut sich, wenn mal jemand was anderes macht. Und außerdem ist deine Idee mit dem Interview echt gut. Kommst du?«
Ich trotte neben ihm her. Er ist ein besonderer Junge. Das wusste ich gleich. Nicht nur wegen seines widerborstigen Aussehens, seiner Verächtlichkeit und des Macker-Gehabes. Wegen seines Lächelns. Es ist ein Kinderlächeln.

Der Kunstlehrer verteilt die Arbeiten, die wir letzte Woche angefertigt haben, ich sehe aus dem Fenster, es kommt mir vor, als wären die Wolken im freien Fall, überall am Himmel sind weiße Schleppen, es riecht nach Schwefel, und wenn die Erde jetzt anfinge zu beben? Ich muss ein Referat halten.

Stimmengeräusche holen mich ins Klassenzimmer zurück. Es ist nichts. Kein Unwetter, kein Orkan, keine dräuende Naturkatastrophe, Axelle und Léa schieben

sich unter dem Tisch Zettelchen zu, und wenn man es recht bedenkt, riecht es vor allem nach den Pommes aus der Schulmensa.
Ich werde also die Unterlagen studieren müssen, die Monsieur Marin mir gegeben hat. Und No dazu bringen, mir zu helfen.

Ein grauer Tag, es regnet. Ich komme aus der Metro und renne in den Bahnhof, ich sehe sie schon von weitem, am Zeitungskiosk, sie steht aufrecht, sie bettelt nicht.

Ich gehe auf sie zu, sie knurrt nur, als ich hallo sage, sie scheint sehr übler Laune zu sein. No willigt ein, mit mir irgendwo etwas trinken zu gehen, ich habe wohlweislich mein Portemonnaie geschwenkt, damit klar ist, dass ich zahle. In der Kneipe bemühe ich mich, nicht auf ihre Hände zu sehen, meine Füße wippen unter der Bank, ich sehe mich nach einem Gegenstand um, auf den ich meine Aufmerksamkeit richten könnte, und entscheide mich für die hartgekochten Eier auf der Theke, ich denke an das würfelförmige Ei, das meine Cousins und ich letzten Sommer fabriziert haben, sie hatten den Trick aus *Pif Gadget*. Man musste es kochen, pellen und noch heiß in eine Pappform stecken, die man nach dem Muster in der Zeitschrift gefaltet hatte, um es danach für vierundzwanzig Stunden in den Kühlschrank zu stellen. So ein würfelförmiges Ei hat schon was Seltsames, wie jeder Anblick, an den man nicht gewöhnt ist, ich stelle mir ähnliche Gegenstände vor, Teleskopgabeln, durchscheinende Früchte, einen abnehmbaren Brustkorb, doch No sitzt mir gegenüber, sie sieht mürrisch aus, jetzt ist nicht der rechte Augenblick für derlei Zerstreutheiten, ich muss zum Wesentlichen kommen, ein *Sofortige-*

Rückkehr-zur-Wirklichkeit-Knopf wär mir jetzt eine echte Hilfe.

»Ich wollte dich treffen, weil ich dich um was bitten wollte.« (Das ist die Einleitung, die ich mir zurechtgelegt habe.)

»Ah ja?«

»Ich muss ein Referat halten, in Wiso …«

»Was ist das denn?«

»… Wirtschafts- und Sozialkunde. Ein Fach, in dem wir uns mit allem Möglichen beschäftigen, zum Beispiel der Wirtschaftslage in Frankreich, mit der Börse, dem Wachstum, den sozialen Klassen, der Vierten Welt und so … Verstehst du?«

»Hmhm.«

»Gut, also ich habe einen Horror vor Referaten, ich meine, ich habe wirklich Schiss, und der Lehrer ist eher einer von der schlimmen Sorte. Die Sache ist die, ich habe erzählt, ich würde was über Obdachlose machen … zum Beispiel erklären, wie öh … (jetzt komme ich zum heiklen Kern, ich habe völlig vergessen, was ich sagen wollte, wie immer, wenn ich aufgeregt bin) … wie es kommt, dass Frauen, besonders junge Frauen, auf der Straße leben. Wie du.«

»Ich hab dir doch gesagt, dass ich bei Kumpels schlafe.«

»Ja, klar, ich weiß, das wollte ich ja sagen, Frauen ohne festen Wohnsitz eben …«

»Hast du von mir erzählt?«

»Nein … das heißt ja … nicht direkt von dir, ich habe deinen Namen nicht genannt, aber ich habe gesagt, ich würde ein Interview machen.«

»Ein Interview?«
Ihre Augen haben sich geweitet, sie streicht mechanisch die Strähne zurück, die ihr in die Augen fällt.
»Ich hätte gern noch ein Bier.«
»Ja, gern, kein Problem (ich hab mich überwunden, jetzt nur keine Unterbrechung, nur den Faden nicht verlieren, es muss weitergehen), wenn du also einverstanden wärst, könnte ich dir einige Fragen stellen, damit könnte ich Aussagen illustrieren, wie eine Art Zeugenaussage, verstehst du?«
»Ich verstehe sehr gut.«
Noch ist das Spiel nicht gewonnen. Sie gibt dem Kellner ein Zeichen, er nickt von ferne.
»Wärst du einverstanden?«
Sie antwortet nicht.
»Du könntest mir einfach nur sagen, wie das so ist, verstehst du, mit dem Essen, mit dem Schlafen, oder wenn dir das lieber ist, könntest du mir von anderen Leuten erzählen, die du kennst und die in der gleichen Lage sind.«
Immer noch keine Antwort.
»Dann könnte ich dich auch öfter treffen. Und wir könnten etwas zusammen trinken.«

Der Kellner stellt das Bier auf den Tisch, er will *gleich kassieren*, mir ist schon aufgefallen, dass Kellner eine eigene Sprache sprechen, sie beenden ihre Schicht, also müssen sie *gleich kassieren*, auch wenn sie vielleicht zwei Stunden später immer noch da sind, so ist es in ganz Paris, ich halte ihm einen Fünf-Euro-Schein hin, No senkt den

Kopf, ich nutze die Gelegenheit und betrachte sie genauer, wenn man sich den Schmutz auf ihrem Gesicht und an ihrem Hals wegdenkt und das ungewaschene Haar nicht beachtet, ist sie sehr hübsch. Wenn sie gewaschen, gut angezogen und gekämmt wäre, wenn sie weniger erschöpft wäre, wäre sie vielleicht sogar noch hübscher als Léa Germain.
Sie hebt den Kopf.
»Und was gibst du mir dafür?«

Es ist spät, mein Vater macht sich wahrscheinlich schon Sorgen, ich nehme den kürzesten Weg nach Hause, und unterwegs gehe ich unser Gespräch immer wieder durch, das ist einfach, denn ich speichere alles, den leisesten Seufzer, ich weiß auch nicht wieso, ich kann es seit meiner frühesten Kindheit, die Wörter prägen sich in meinen Kopf ein wie auf einer Festplatte, sie werden mehrere Tage gespeichert, und ich lösche nach und nach alles, was wegmuss, damit der Speicher nicht überläuft. Das Abendessen ist fertig, der Tisch gedeckt. Meine Mutter liegt im Bett. Mein Vater stellt die Schüssel vor mich hin, er nimmt meinen Teller, um mir etwas aufzufüllen, gießt Wasser in die Gläser, ich sehe, dass er traurig ist, er bemüht sich, fröhlich zu wirken, doch seine Stimme klingt nicht echt. Wie so einiges andere kann ich auch das erkennen, den Ton der Stimmen, wenn sie eine Lüge verhüllen, und die Wörter, die das Gegenteil der Gefühle sagen, ich kann die Traurigkeit meines Vaters erkennen und auch die meiner Mutter, wie eine Unterströmung. Ich vertilge die Fischstäbchen und das Kartoffelpüree und versuche zu lächeln, um ihn zu beruhigen. Mein Vater ist sehr gut darin, ein Gespräch zu bestreiten und das Gefühl zu vermitteln, es geschehe etwas, wenn nichts geschieht. Er beherrscht die Kunst zu fragen und zu antworten, das Gespräch wieder in Gang zu bringen, abzuschweifen und immer weiter zu reden, allein, während *Maman* schweigt. Normalerweise versuche ich ihm zu helfen, gute Miene zu machen und teilzunehmen, ich hake nach, bitte um Beispiele, führe die Argumentation weiter, suche nach Widersprüchen, doch diesmal kann ich es nicht, ich denke an mein Referat, an Lucas, an No, alles vermischt sich zu einem einzigen Angstgefühl, er erzählt mir von seiner Arbeit und von einer Reise, die er bald machen muss, ich betrachte die Küchentapete, die an die Wand geklebten Bilder, die ich früher gemalt habe, und den großen Rahmen mit den Fotos von uns dreien, den Fotos von vorher.

»Weißt du, Lou, wir werden einige Zeit warten müssen, bis wir unsere alte *Maman* wiederhaben. Lange Zeit. Aber du brauchst keine Angst zu haben. Wir schaffen es.«

Im Bett denke ich an No, an ihre Jacke, deren Löcher ich gezählt habe. Es sind fünf: zwei Brandlöcher von Zigaretten und drei Risse.
Im Bett denke ich an Lucas, und ich höre wieder diesen Satz:
»Keine Sorge, Krümel, das klappt schon, da bin ich sicher.«

Als ich klein war, habe ich stundenlang vor dem Spiegel gestanden und versucht, meine Ohren wieder anzudrücken. Ich fand mich hässlich, ich fragte mich, ob man so was reparieren könne, indem man zum Beispiel jeden Tag, sommers wie winters, eine Badehaube oder einen Fahrradhelm darüber zöge, meine Mutter hatte mir erzählt, als Baby hätte ich immer mit umgeknicktem Ohr auf der Seite geschlafen. Als ich klein war, wollte ich Ampel werden, auf einer ganz großen Kreuzung, es gab nichts Ehrenhafteres und Lobenswerteres, so schien mir, als den Verkehr zu regeln, von Rot auf Grün zu springen und von Grün auf Rot, um die Menschen zu beschützen. Als ich klein war, sah ich zu, wenn meine Mutter sich vor dem Spiegel schminkte, ich verfolgte jede ihrer Gesten, den schwarzen Lidstrich, die Wimperntusche, wie sie den Lippenstift auftrug, ich roch ihren Duft, ich wusste nicht, dass es so zerbrechlich war, ich wusste nicht, dass die Dinge aufhören können, einfach so, und nie wiederkommen.

Als ich acht Jahre alt war, wurde meine Mutter schwanger. Sie und mein Vater hatten schon lange versucht, ein zweites Kind zu bekommen. Sie war zum Gynäkologen gegangen, sie hatte Medikamente genommen, sich Spritzen geben lassen, und dann war es schließlich so weit. Ich hatte mich im Lexikon der Säugetiere über die Fortpflanzung informiert, Uterus, Eierstöcke, Samenzellen und diese ganzen Sachen, also konnte ich präzise Fragen stellen, um zu verstehen, was vor sich ging. Der Arzt hatte von einer In-vitro-Fertilisation gesprochen (das hätte ich sagenhaft gefunden, ein in einem Reagenzglas fabriziertes Brüderchen oder Schwesterchen), doch es war dann doch nicht nötig gewesen, meine Mutter wurde schwanger, als sie schon nicht mehr daran glaubten. Am Tag, als sie den Test gemacht hatten, haben wir mit Champagner angestoßen. Wir würden zu niemandem etwas sagen, bevor die drei Monate vorüber wären, die drei Monate, in denen die Mütter ihre Babys verlieren können. Ich war sicher, dass es gutgehen würde, in meinen Lexika verfolgte ich die Größe des Embryos, die verschiedenen Entwicklungsstadien und so, ich betrachtete die Schemata und recherchierte zusätzlich im Internet. Nach einigen Wochen konnten wir es allen verkünden und mit den Vorbereitungen beginnen. Mein Vater verlegte sein Arbeitszimmer ins Wohnzimmer, um das Zimmer zu räumen, und wir kauften dem Baby, einem Mädchen, ein Bett. Meine Mutter suchte die Sachen hervor, die ich getragen hatte, als ich klein war, wir sortierten sie gemeinsam und legten dann alles sorgsam gefaltet in die lackierte Kommode. Im Sommer fuhren wir in die Berge, ich erinnere mich noch an *Mamans* Bauch in dem roten Badeanzug am Rand des Schwimmbeckens, an ihr im Wind wehendes langes Haar, an ihre Nickerchen unter dem Sonnenschirm. Als wir nach Paris zurückkehrten, sollte es nur noch zwei oder drei Wochen bis zur Geburt dauern. Ich konnte mir kaum vorstellen, dass ein Baby aus *Mamans* Bauch kommen sollte. Dass es einfach so losgehen könnte, ohne Vorwarnung, obwohl ich vieles in ihren Schwangerschaftsbüchern gelesen hatte und obwohl sich all das wissenschaftlich erklären ließ. Eines Abends fuhren sie in die Frauenklinik. Sie brachten mich für die Nacht bei der Nachbarin gegenüber unter, mein Vater trug den Koffer, den wir gemeinsam gepackt hatten, mit den kleinen Schlafanzügen, den Söckchen und so, man konnte sehen, dass sie glücklich waren. Ganz früh am nächsten Morgen rief er an, meine Schwester war zur Welt gekommen. Am nächsten Tag durfte ich sie besuchen, sie schlief in einem durchsichtigen Plastikbettchen auf Rollen neben dem Bett meiner Mutter.

Ich weiß, dass man Überschallflugzeuge und Raketen in den Weltraum schickt, dass man einen Verbrecher anhand eines Haars oder eines winzigen Hautpartikels identifizieren kann, dass man Tomaten züchtet, die nach drei Wochen im Kühlschrank immer noch faltenfrei sind, und dass man Milliarden von Informationen auf einem Mikrochip aufbewahren kann. Aber nichts, gar nichts von alldem, was existiert und was sich unablässig weiterentwickelt, wird mir je unglaublicher und spektakulärer erscheinen als das: Thaïs war aus *Mamans* Bauch gekommen.

Thaïs hatte einen Mund, eine Nase, Hände, Füße, Finger und Fingernägel. Thaïs konnte die Augen öffnen und schließen, gähnen, saugen und die Arme bewegen, und diesen ungeheuren Präzisions-Mechanismus hatten meine Eltern zustande gebracht.

Wenn ich allein zu Hause bin, schaue ich mir manchmal die Fotos an, die ersten. Da ist Thaïs auf meinem Arm, Thaïs, die an der Brust meiner Mutter schläft, wir vier auf dem Krankenhausbett – dieses Foto hat meine Großmutter gemacht, es ist nicht gut eingestellt, im Hintergrund sieht man das Zimmer, die blauen Wände, die Geschenke, die Pralinenschachteln. Vor allem sieht man *Maman*s Gesicht, es ist unglaublich glatt, und ihr Lächeln. Wenn ich in dem kleinen Holzkasten krame, in dem die Fotos aufbewahrt werden, klopft mir das Herz zum Zerspringen. *Maman* würde ausrasten, wenn sie mich dabei ertappte.
Nach ein paar Tagen kamen sie nach Hause zurück. Es machte mir Spaß, Thaïs zu wickeln, sie zu baden und sie zu beruhigen, wenn sie weinte. Auf dem Nachhauseweg von der Schule beeilte ich mich, um schnell wieder bei ihnen zu sein. Als sie anfing, aus dem Fläschchen zu trinken, setzte ich mich mit einem Kissen unter dem Arm aufs Sofa und gab ihr das Abendfläschchen, man musste auf die Luftbläschen achten und darauf, wie schnell sie trank, das weiß ich noch.

Diese Augenblicke gehören uns nicht mehr, sie sind in eine Kiste eingeschlossen, ganz hinten im Schrank verstaut, außer Reichweite. Diese Augenblicke sind erstarrt wie auf einer Postkarte oder einem Kalender, die Farben werden vielleicht verblassen, ausbleichen, im Gedächtnis und in den Worten sind sie verboten.

Eines Sonntagsmorgens hörte ich *Maman*s Schrei, einen Schrei, den ich nie vergessen werde.
Noch heute geschieht es, wenn ich meinen Geist wandern lasse, wenn ich die Wege meiner Gedanken nicht kontrolliere, wenn in meinem Kopf alles frei fließt, weil ich mich langweile, wenn die Stille ringsum immer größere Kreise zieht, dass dieser Schrei zurückkehrt und mich zerreißt.
Ich rannte ins Schlafzimmer und sah *Maman*, wie sie Thaïs schüttelte und dabei schrie, ich verstand nichts, sie presste sie an sich, sie schüttelte sie wieder und küsste sie, Thaïs' Augen waren geschlossen, mein Vater war schon am Telefon und rief den Rettungswagen. Und dann ließ sich *Maman* langsam auf den Teppichboden fallen, sie kniete, über ihr Baby gebeugt, und sagte weinend nein, nein, nein. Ich weiß noch, dass sie nur einen BH und einen Slip trug, in dem Aufzug kann man doch niemanden empfangen, dachte ich damals, und zugleich hatte ich das Gefühl, dass sich gerade etwas ereignete, etwas nicht Wiedergutzumachendes. Die Notärzte kamen schnell, sie untersuchten Thaïs, und ich weiß, *Maman* las es ihnen an den Augen ab, dass es vorbei war. Im selben Augenblick wurde sich Papa meiner Gegenwart bewusst, er brachte mich weg, sein Gesicht war bleich, und seine Lippen zitterten. Er umarmte mich ganz fest und sagte kein Wort.

Dann kamen die Trauerkarten, die gedämpften Unterhaltungen, die unzähligen Anrufe, die Briefe, die Beerdigung. Und dann eine große Leere wie ein schwarzes

Loch. Ich meine, wir haben nicht so sehr geweint, alle zusammen, vielleicht hätten wir das tun sollen, vielleicht wäre es dann heute leichter. Das Leben ging weiter wie zuvor, im selben Rhythmus, nach demselben Zeitplan, mit denselben Gewohnheiten. Meine Mutter war da, sie war bei uns und machte das Essen, sie füllte die Waschmaschine, sie hängte die Wäsche auf, doch es war, als wäre ein Teil von ihr fortgegangen, zu Thaïs, an einen Ort, den nur sie kannte. Ihre erste Krankschreibung wurde verlängert, einmal, dann noch einmal, sie konnte nicht mehr arbeiten. Ich war in der vierten Grundschulklasse, die Lehrerin bestellte meinen Vater zu sich, weil sie mein Verhalten für ein Kind meines Alters *anormal* fand. Ich war bei dem Gespräch dabei, sie sagte, ich lege eine *besorgniserregende Reife* an den Tag, an diese Worte erinnere ich mich noch, sie erwähnte Thaïs' plötzlichen Tod – die ganze Schule wusste davon – und sagte, er sei für eine Familie ein schweres Trauma, das jeden zerstören könne, und man müsse Hilfe in Anspruch nehmen. Sie war es, die meinem Vater riet, mich zu einer Psychologin zu bringen. Deshalb ging ich bis zum Ende jenes Jahres jeden Mittwoch zu Madame Cortanze. Bei ihr machte ich noch einmal verschiedene Intelligenztests und andere Tests mit seltsam klingenden Namen und Abkürzungen, die ich inzwischen vergessen habe. Ich ging ohne erkennbaren Widerwillen hin, um meinem Vater einen Gefallen zu tun. Ich weigerte mich zwar, Zeichnungen und all die anderen Sachen zu machen, die Psychologen von Kindern verlangen, um Dinge zu erraten, die diese Kinder denken, ohne sie wirklich zu denken oder ohne zu wissen, dass sie sie denken, aber ich war bereit zu sprechen. Madame Cortanze nickte immer sehr überzeugt, und sie unterbrach mich selten, ich legte ihr meine Theorien über die Welt vor, damals habe ich damit begonnen: Theorie der Untermengen, Theorie des unendlich Dummen, Theorie der Rollkragen, Gleichungen ohne Unbekannte, sichtbare und unsichtbare Segmente und dergleichen mehr. Sie hörte wirklich zu, konnte sich immer an das erinnern, was ich am Mittwoch zuvor gesagt hatte, und versuchte sich an der Herstellung von Bezügen und Schlussfolgerungen, dann war es an mir zu nicken, ich wollte ihr weder Ärger noch Kummer bereiten, denn Madame Cortanze trug auf dem Kopf einen ungeheuer hohen Haarknoten, der ganz sicher nur durch pure Magie hielt.

Meine Mutter wurde krank. Wir sahen, wie sie sich ganz langsam entfernte, doch wir konnten sie nicht zurückhalten, wir streckten die Hand nach ihr aus, doch wir konnten sie nicht erreichen, wir schrien, doch sie schien uns nicht zu hören. Sie sprach nicht mehr, sie stand nicht mehr auf, sie blieb den ganzen Tag im Bett, oder sie saß in dem großen Sessel im Wohnzimmer und döste vor dem Fernseher. Manchmal streichelte sie mir mit abwesendem Blick übers Haar oder übers Gesicht, manchmal nahm sie meine Hand und drückte sie, einfach so, ohne Grund, und manchmal küsste sie mich auf die Augen. Sie aß nicht mehr mit uns. Sie kümmerte sich nicht mehr um den Haushalt. Mein Vater redete stundenlang auf sie ein, manchmal wurde er wütend auf sie, dann hörte ich

laute Stimmen aus dem Schlafzimmer, ich presste das Ohr an die Wand, um die Worte und Bitten zu verstehen, so schlief ich ein, im Sitzen, und schreckte auf, wenn mein Körper aufs Bett zurückrutschte.
Im Sommer darauf trafen wir uns mit Freunden am Meer. *Maman* blieb fast die ganze Zeit im Haus, sie trug weder ihren Badeanzug noch die Sandalen mit der großen Blüte in der Mitte, ich glaube, sie zog sich jeden Tag gleich an, wenn sie überhaupt auf den Gedanken kam, sich anzuziehen. Es war heiß in jenem Jahr, eine seltsame Hitze, feucht und klebrig und so, mein Vater und ich versuchten, fröhlich zu bleiben, wieder in die frühere Ferienstimmung zu kommen, aber wir waren nicht stark genug.
Inzwischen weiß ich ein für alle Mal, dass man Bilder nicht verscheuchen kann, und schon gar nicht die unsichtbaren Risse, die sich tief im Bauch bilden, man kann die Nachklänge und Erinnerungen nicht verscheuchen, die wach werden, wenn es Nacht wird oder der Morgen anbricht, man wird den Nachhall der Schreie nicht los, und schon gar nicht den des Schweigens.

Anschließend fuhr ich wie jedes Jahr für einen Monat zu meinen Großeltern in die Dordogne. Am Ende des Sommers kam mein Vater, er hatte mir Wichtiges mitzuteilen. Meine Mutter war in ein auf schwere Depressionen spezialisiertes Krankenhaus aufgenommen worden, und mich hatten sie in einem auf intellektuelle Frühreife spezialisierten *Collège* angemeldet.
Ich fragte meinen Vater, worauf denn er sich zu spezialisieren gedenke. Er lächelte und nahm mich in die Arme.

Vier Jahre verbrachte ich in Nantes. Wenn ich jetzt darüber nachdenke, erscheint es mir viel, ich meine, wenn man ein, zwei, drei, vier Schuljahre zählt, pro Jahr etwa zehn Monate Unterricht, pro Monat dreißig oder einunddreißig Tage, dann erscheint es enorm, die Stunden und Minuten will ich gar nicht erst zählen, aber diese Zeit ist ganz in sich zusammengeschrumpft, sie ist leer wie eine unbeschriebene Seite in einem Heft, nicht, dass es keine Erinnerungen gäbe, aber die Farben stimmen nicht, sie sind zu grell, wie bei einem überbelichteten Foto. An jedem zweiten Wochenende fuhr ich zurück nach Paris. Anfangs besuchte ich meine Mutter im Krankenhaus, bedrückt und mit vor Angst verkrampftem Magen, ihre Augen waren glasig wie die eines toten Fischs, ihr Gesicht war starr, sie saß im Gemeinschaftsraum vor dem Fernseher, ich erkannte ihren gebeugten Körper und das Zittern ihrer Hände von weitem, mein Vater versuchte mich zu beruhigen, sie nehme viele Medikamente und die hätten Nebenwirkungen, doch die Ärzte seien optimistisch, es gehe ihr schon besser. Später, nach ihrer Entlassung, kam sie mit ihm zur Gare Montparnasse, um mich abzuholen, sie erwarteten mich am Ende des Bahnsteigs, ich versuchte mich aus der Ferne an ihre reglose, gebrochene Gestalt zu gewöhnen, wir umarmten uns ohne allzu großen Überschwang, mein Vater nahm meine Tasche, und wir gingen zum Aufzug, ich sog den Geruch von Paris in vollen Zügen ein, wir stiegen alle drei in den Wagen. Am nächsten Tag brachten sie mich wieder zum Zug, die Zeit war so rasch vergangen, ich musste wieder fort.

Wochenlang träumte ich, dass mein Vater eines Sonntagabends sagen würde, so kann das nicht weitergehen, bleib bei uns, du darfst nicht so weit weg sein, dass er kehrt machen würde, bevor wir am Bahnhof wären. Wochenlang träumte ich davon, dass er an der letzten Ampel oder beim Abstellen des Motors sagen würde, es ist absurd, oder, es ist lächerlich, oder auch, es tut zu weh.

Wochenlang träumte ich, dass er eines Tages das Gaspedal bis aufs Bodenblech durchtreten und uns alle drei gegen die Wand des Parkhauses schleudern würde, für immer vereint.

Schließlich kehrte ich tatsächlich zurück, nach Paris, in mein Kinderzimmer, das nicht mehr zu mir passte, und bat meine Eltern, mich in einem ganz normalen *Lycée* für ganz normale Kinder anzumelden. Ich wollte, dass das Leben wieder so wäre wie früher, als alles einfach schien und eins aufs andere folgte und man gar nicht darüber nachdachte, ich wollte, dass wir genauso wären wie die anderen Familien, in denen die Eltern mehr als drei Wörter am Tag sagen und die Kinder sich nicht die ganze Zeit schlimme Fragen stellen. Manchmal denke ich mir, auch Thaïs gehörte zu den intellektuell Frühreifen, und deshalb hat sie die Brocken hingeworfen, als ihr klar wurde, welche Strafe es ist und dass dagegen nichts zu machen ist, dass es kein Heilmittel gibt, kein Gegengift. Ich möchte einfach nur wie die anderen sein, ich beneide sie um ihre Gewandtheit, um ihr Lachen, um ihre Abenteuer, ich bin sicher, sie besitzen etwas, das ich nicht habe, ich habe im Wörterbuch lange nach einem Wort gesucht, das die Leichtigkeit, die Unbekümmertheit, die Zuversicht und all das ausdrückt, ein Wort, das ich mir ins Heft kleben würde, in Großbuchstaben, wie eine Beschwörung.

Jetzt ist Herbst, und wir versuchen, unser Leben wiederaufzunehmen. Mein Vater hat einen neuen Job, er hat die Küche und das Wohnzimmer streichen lassen. Meiner Mutter geht es besser. Das jedenfalls sagt er immer am Telefon. Ja, ja, Anouk geht es besser. Viel besser. Sie erholt sich. Ganz langsam. Manchmal überkommt mich die Lust, ihm das Telefon aus der Hand zu reißen und ganz laut zu schreien: Nein, Anouk geht es nicht besser, Anouk ist so weit weg von uns, dass wir nicht mit ihr sprechen können, Anouk erkennt uns kaum, seit vier Jahren lebt sie in einer Parallelwelt ohne jeden Zugang, in einer Art vierten Dimension, und es ist ihr ziemlich wurscht, ob wir noch am Leben sind.
Wenn ich nach Hause komme, sitzt sie in ihrem Sessel im Wohnzimmer. Sie macht kein Licht an, von morgens bis abends sitzt sie da, das weiß ich, ohne sich wegzurühren, sie legt sich eine Decke über die Knie und wartet, dass die Zeit vorbeigeht. Wenn ich komme, steht sie auf und verrichtet, automatisch oder aus Gewohnheit, eine Abfolge von Bewegungen und Ortsveränderungen, sie nimmt die Kekse aus dem Schrank, stellt Gläser auf den Tisch, setzt sich neben mich, ohne etwas zu sagen, sammelt das Geschirr wieder ein, räumt die Reste weg und wischt den Tisch sauber. Die Fragen sind immer diesel-

ben, hattest du einen schönen Tag, hast du viele Hausaufgaben heute, war dir nicht kalt in deiner Jacke, zerstreut hört sie sich die Antworten an, wir spielen ein Rollenspiel, sie ist die Mutter, und ich bin die Tochter, beide halten wir uns an unseren Text und an die Bühnenanweisungen.

Nie mehr berührt sie mich mit der Hand, nie mehr streicht sie mir übers Haar, streichelt sie mir die Wange, nie mehr umfasst sie meinen Hals oder meine Taille, nie mehr drückt sie mich an sich.

Ich zähle einen, zwei, drei, vier Tropfen und betrachte die ockerfarbene Wolke, die sich im Wasser auflöst, wie sich Farbe aus einem in ein Wasserglas gestellten Pinsel löst, sie verteilt sich langsam, tönt die Flüssigkeit und verschwindet. Ich leide schon seit langem an Insomnie, ein Wort, das endet wie Hysterie, Hypochondrie, Hypertonie, kurzum: ein Wort, das bedeutet, es ist etwas kaputtgegangen. Zum Abendessen schlucke ich Gelatinekapseln mit Pflanzenextrakten, und wenn das nicht reicht, gibt mir mein Vater *Ritrovil*, ein Medikament, das einen in ein schwarzes Loch befördert, in ein Loch, in dem man an gar nichts mehr denkt. Ich soll es möglichst selten nehmen, wegen der Gewöhnungsgefahr, aber heute Abend ist mir der Schlaf unerreichbar, ich versuche es schon seit Stunden, ich zähle alles, was sich nur zählen lässt, die Zähne der Schäfchen, die Haare des Sandmännchens und seine Sommersprossen und Muttermale, ich liege unter der Bettdecke wie eine aufgeladene Batterie, das Herz schlägt mir bis zum Hals, in meinem Kopf sind zu viele Wörter, die wild durcheinanderschießen und wie in einer Massenkarambolage zusammenkrachen, völlig verwirrte Sätze kämpfen um einen Platz an der Rampe, während im Hintergrund die Schäfchen im Chor blöken, Mademoiselle Bertignac, Sie müssen auch einen Abschnitt über den *SAMU social* schreiben, die ambulante Notfallhilfe für Obdachlose, Krümel, weißt du eigentlich, dass du mit deiner Mütze wie die Fee Naseweis aussiehst, du kommst aber spät nach Hause, nein, ich will nicht, dass du es auf Tonband aufnimmst, ein Bier bitte, Mesdemoiselles, ich möchte kassieren, nein, morgen kann ich nicht, übermorgen, wenn du willst, Regenschirme wären zwecklos, die verliere ich nur, nun lassen Sie doch die Leute aussteigen, bevor Sie einsteigen.

Eigentlich weiß ich nicht, warum sie eingewilligt hat. Einige Tage später ging ich wieder hin, sie war vor dem Bahnhof, vor der Polizei-Außenstelle ist ein regelrechtes Obdachlosenlager mit Zelten, Kartons, Matratzen und so, sie stand da und unterhielt sich mit ihnen. Als ich zu ihr ging, richtete sie sich zu ihrer vollen Größe auf und stellte sie mir ganz ernsthaft und zeremoniös vor, Roger, Momo und Michel, und dann, mit der Hand auf mich zeigend: Lou Bertignac, sie ist wegen eines Interviews mit mir hier. Momo grinste, er hatte nicht mehr viele Zähne, Roger streckte mir die Hand hin, und Michel zog ein mürrisches Gesicht. Roger und Momo wollten ebenfalls von mir interviewt werden, sie fanden es lustig, Roger hielt seine Faust wie ein Mikro unter Momos Kinn, also Momo, wie lange hast du schon nicht mehr gebadet, ich fühlte mich ziemlich unwohl in meiner Haut, versuchte mir aber nichts anmerken zu lassen, ich erklärte, es sei für die Schule (damit sie nicht etwa dachten, sie kämen in die Abendnachrichten) und die Untersuchung betreffe ausschließlich Frauen. Roger sagte, an allem seien nur die Regierungsluschen schuld, alle Politiker seien Arschlöcher, ich nickte, jedenfalls war man

besser immer einverstanden, dann zog er aus einer Plastiktüte ein Stück alte Salami, schnitt einige Scheiben ab und bot sie allen in der Runde an, nur Momo nicht (wahrscheinlich, weil er sie mit seinen paar Zähnen nicht hätte beißen können). Ich traute mich nicht abzulehnen, obwohl mir zugegebenermaßen nicht sehr danach war, doch ich hatte zu große Angst, ihn zu verärgern, ich schluckte die Scheibe fast in einem Stück herunter, ohne zu kauen, es schmeckte ranzig, ich glaube, etwas derart Schlechtes habe ich noch nie gegessen, und dabei gehe ich in die Schulmensa.
No und ich gingen zur Kneipe, unterwegs sagte ich zu ihr, ihre Kumpel seien nett, da blieb sie stehen und antwortete: Auf der Straße hat man keine Freunde. Abends, zu Hause, schrieb ich diesen Satz in mein Heft.

Wir verabreden uns von einem zum anderen Treffen, manchmal kommt sie, manchmal auch nicht. Ich denke den ganzen Tag daran und warte ungeduldig auf den Unterrichtsschluss, sobald es klingelt, renne ich zur Metro, immer in der Angst, sie nicht wiederzusehen, in der Angst, es könne ihr etwas zugestoßen sein.

Sie ist gerade achtzehn Jahre alt geworden, Ende August hat sie ein Heim für Notfälle verlassen, in dem sie bis zu ihrer Volljährigkeit mehrere Monate untergebracht war, sie lebt auf der Straße, aber das hört sie nicht gern, es gibt Wörter, die sie nicht mag, und ich gebe acht, denn wenn sie wütend wird, sagt sie gar nichts mehr, sie beißt sich auf die Lippe und starrt zu Boden. Sie mag die Erwach-

senen nicht, sie traut ihnen nicht. Sie trinkt Bier, kaut auf ihren Nägeln, zieht einen Rollenkoffer hinter sich her, der ihr ganzes Leben enthält, sie raucht die Zigaretten, die man ihr schenkt, dreht sich welche selbst, wenn sie Geld für Tabak hat, und sie schließt die Augen, um sich der Welt zu entziehen. Sie schläft mal hier, mal da, bei einer Freundin, die sie im Heim kennengelernt hat und die an der Fleischtheke im Auchan-Supermarkt an der Porte de Bagnolet arbeitet, bei einem Eisenbahn-Kontrolleur, der sie von Zeit zu Zeit aufnimmt, sie nistet sich bei allen möglichen Zufallsbekanntschaften ein, sie kennt einen Jungen, der ein Ärzte-der-Welt-Zelt ergattern konnte und nun draußen campt, ein- oder zweimal hat er sie darin schlafen lassen, ohne Gegenleistungen zu verlangen, wenn du auf der Rue de Charenton bist, sagte sie mir, dann kannst du gegenüber der Haltestelle vom 29er-Bus sein Zelt sehen, das ist seine Gegend.
Wenn sie nicht weiß, wo sie schlafen soll, dann ruft sie den *SAMU social* an, um eine Notunterkunft zu finden, doch vor Einbruch des Winters ist das schwierig, weil die meisten noch geschlossen sind.

Im *Relais d'Auvergne* haben wir unseren Tisch, ein wenig abseits, unsere Gewohnheiten und unser gemeinsames Schweigen. Sie trinkt ein oder zwei Bier, ich eine Cola, ich bin schon vertraut mit den vergilbten Wänden und deren abblätterndem Anstrich, mit den Wandlampen aus geschliffenem Glas, den altmodischen Bildern und der gereizten Art des Kellners, ich kenne No, ihre Art zu sit-

zen, leicht schief, ihr Zögern und ihre Schamhaftigkeit, die Energie, die sie aufbietet, um normal zu wirken.
Wir sitzen uns immer gegenüber, ich kann die Müdigkeit auf ihrem Gesicht sehen, sie ist wie ein grauer Schleier, der sie bedeckt, der sie einhüllt und vielleicht schützt. Sie war schließlich damit einverstanden, dass ich mir Notizen mache. Anfangs wagte ich keine Fragen zu stellen, aber inzwischen stürze ich mich ins Gespräch und bringe es notfalls wieder in Gang, ich frage wann, warum, wie. Immer lässt sie es sich nicht gefallen, aber manchmal funktioniert es, dann beginnt sie richtig zu erzählen, mit gesenktem Blick und den Händen unter dem Tisch, manchmal lächelt sie. Sie erzählt von der Angst, der Kälte, dem Umherirren. Der Gewalt. Von dem Hin- und Herfahren mit ein und derselben Metrolinie, um die Zeit totzuschlagen, von den Stunden, die sie in Cafés vor einer leeren Tasse zubringt, mit einem Kellner, der viermal wiederkommt und sich erkundigt, ob *Mademoiselle* noch einen Wunsch hat, von den Waschsalons, wo es warm ist und man in Ruhe gelassen wird, von den Bibliotheken, vor allem der Bibliothèque de Montparnasse, von den Tagesheimen, den Bahnhöfen und öffentlichen Parks.
Sie erzählt von diesem Leben, von ihrem Leben, von den Stunden, die sie mit Warten verbringt, von der Angst vor der Nacht.

Wenn ich mich abends von ihr trenne, weiß ich nicht, wo sie schläft, meistens verweigert sie mir die Antwort, manchmal springt sie hastig auf, weil irgendwo Aufnahmeschluss ist, sie muss rasch ans andere Ende von Paris, um ihren Platz in einer Warteschlange einzunehmen, eine Reihen- oder Zimmernummer zu bekommen, um in einem von den anderen Benutzern versifften Waschraum zu duschen und dann in einem Schlafsaal nach ihrem Bett zu suchen, dessen Bettzeug voller Läuse und Flöhe ist. Manchmal weiß sie nicht wohin, weil sie den *SAMU social*, dessen Anschluss meistens besetzt ist, nicht erreichen konnte oder weil schon alles belegt ist. Ich sehe zu, wie sie, ihren holpernden Koffer im Schlepptau, durch die Feuchtigkeit der letzten Herbstabende davongeht.

Manchmal lasse ich sie auch vor einem leeren Bierglas zurück, ich stehe auf, ich setze mich, ich trödele herum, ich suche nach etwas, womit ich sie trösten könnte, ich finde nicht das rechte Wort, ich schaffe es nicht zu gehen, und sie senkt den Blick und sagt nichts.
Und in unserem Schweigen lastet alle Ohnmacht der Welt, unser Schweigen ist wie eine Rückkehr zum Ursprung der Dinge, zu ihrer Wahrheit.

Ich glaubte verstanden zu haben, dass sie eine Gegenleistung erwartete. Als ich ihr jedoch das Paket hinhielt, das ich für sie gepackt hatte, wurde sie mit einem Mal ganz bleich und fragte: Was glaubst du eigentlich? Ich wollte ihr meine Mütze, meinen Regenschirm, meinen MP3-Player und sogar Geld schenken. Sie lehnte ab. Ich darf nur bezahlen, was sie trinkt. Seit ein oder zwei Wochen gebe ich ihr exakt den Betrag der jeweils letzten Rechnung, damit sie im Café auf mich warten kann. Es wird nämlich allmählich kalt. Manchmal hat sie das Geld schon vorher ausgegeben, aber der Kellner kennt uns inzwischen, sie darf sich hinsetzen und bestellen. Meinen Eltern habe ich gesagt, ich müsse zusammen mit Léa Germain ein Referat schreiben und wir würden bei ihr zu Hause daran arbeiten. Sie freuen sich darüber, dass ich eine Freundin gefunden habe, sie finden es positiv. Da ich bereits das ganze Geld ausgegeben habe, das Großmutter mir zum Geburtstag geschenkt hat (und das eigentlich zum Kauf der *Encyclopedia Universalis* auf CD-ROM bestimmt war), erfinde ich Kinobesuche mit Klassenkameraden – jedes Mal acht Euro –, und zu Hause erzähle ich dann ein paar mit vielen erfundenen Details angereicherte Szenen, meine Eltern gehen nämlich sowieso nie ins Kino, und gebe mein Urteil über den Film ab, ich suche mir etwas aus *20 minutes* und *À Nous Paris* zusammen, den kostenlosen Zeitungen, die in der Metro herumliegen, schmücke es aus und versehe es noch mit einer kleinen persönlichen Note.

Wir treffen uns direkt im Café. Im Bahnhof wird es für No gefährlich, sie darf nicht mehrere Tage hintereinander am selben Ort bleiben. Das gehört zu ihrem Leben. Sich niederlassen. Und wieder weggehen. Gefahren meiden. Auf der Straße gibt es Regeln. Und Gefahren. Besser, man fällt nicht auf. Senkt den Blick. Verschmilzt mit seiner Umgebung. Dringt nicht ins Nachbarterritorium ein. Weicht den Blicken aus.
Draußen nämlich ist sie Beute.

Heute erzählt sie von dieser schwebenden, wie angehaltenen Zeit, von den Stunden, die sie umherläuft, damit der Körper nicht auskühlt, von den Pausen bei Monoprix oder in anderen Warenhäusern, wo sie zwischen den Regalen herumtrödelt und unbemerkt zu bleiben versucht, davon, wie sie vom Wachpersonal mehr oder minder brutal wieder auf die Straße befördert wird. Sie beschreibt mir diese unsichtbaren Orte, die sie zu erkennen gelernt hat, Keller, Parkhäuser, Lager, technische Gebäude, verlassene Baustellen, Hallen. Sie spricht nicht gern über sich. Sie tut es, indem sie über das Leben der anderen spricht, der Menschen, denen sie begegnet, denen sie folgt, sie erzählt davon, wie sie sich treiben lassen und manchmal gewalttätig werden. Sie erzählt von den Frauen, es sind keine Stadtstreicherinnen, sagt sie nachdrücklich, keine Durchgeknallten, schreib das auf, Lou, sagt sie, in deinen Worten, es sind normale Frauen, die ihre Arbeit verloren haben oder von zu Hause geflohen sind, die man verprügelt oder vertrieben hat und die in Notunterkünften oder in ihrem Auto leben, Frauen, denen man begegnet, ohne sie zu sehen, ohne es zu wissen, sie wohnen in schäbigen Hotels, sie stehen jeden Tag Schlange, um ihre Familie zu ernähren, und sie warten darauf, dass die *Restaurants du Cœur* wieder aufmachen.

Einmal erzählte sie von einem Typ, der ihr den ganzen Tag gefolgt ist, sie wusste nicht mehr, wie sie ihn loswerden sollte, er hatte sich neben sie auf eine Bank am Canal Saint-Martin gesetzt, als sie wegging, folgte er ihr, ziemlich dicht, sie sprang über ein Drehkreuz der Metro und schob sich hinter die Bahnsteigsperre, er tat es ihr nach, sie sagte, man habe ihm angesehen, dass er sonst nichts zu tun hatte, ein echter Prolet aus der *Banlieue*, die erkenne ich zehn Meilen gegen den Wind, das sag ich dir. Schließlich fing sie mitten auf der Straße an, ihn zu beschimpfen, sie schrie so laut, dass er endlich ging. Sie ist immer auf der Hut, steht immer unter Spannung, sie erträgt es nicht, dass die Leute sie ansehen, auch nicht im Café, wenn sich jemand nach ihr umsieht, schickt sie ihn immer gleich zum Teufel, willst du ein Foto von mir, oder was ist an mir so Besonderes? Sie hat etwas Beeindruckendes, Respekteinflößendes, im Allgemeinen stehen die Leute dann auf und gehen brummelnd, einmal murmelte ein Typ armes Mädchen oder etwas in der Art, No stand auf und spuckte auf den Boden, genau vor seine Füße, und in ihren Augen lag eine solche Wildheit, dass er sich still verdrückte.

Ein anderes Mal erzählt sie mir von einer Frau, die unten in der Rue Oberkampf schläft, jede Nacht, sie will nicht mitgenommen werden, sie lässt sich dort jeden Abend mit sechs oder sieben Plastiktüten vor dem Blumengeschäft nieder, breitet ihren Schlafsack aus, stellt die Tüten sorgfältig rings um ihr Lager auf und schläft dort jede Nacht unter freiem Himmel. Ich frage, wie alt sie ist, No weiß es nicht, so ziemlich weit in den Fünfzigern, sagt sie, neulich hat sie sie bei den *Petits Frères des Pauvres*, die sich besonders um hilfsbedürftige ältere Leute kümmern, herauskommen sehen, mit ganz geschwollenen Füßen, sie konnte nur mühsam laufen, sie krümmte sich und machte ganz kleine Schritte, No half ihr, die Plastiktüten zu ihrem Schlafplatz zu tragen, und die Frau sagte, ich bin Ihnen unendlich dankbar, und du müsstest sie mal reden hören, fügte No hinzu, wie eine Fernsehmoderatorin.

Gestern war sie bei der Suppenküche Saint-Eustache, zwei Frauen waren handgreiflich geworden, es ging um eine Zigarettenkippe, die auf der Erde lag, die Zigarette war erst halb aufgeraucht, sie schlugen sich unerbittlich, als man sie trennte, hatte die Jüngere ein dickes Haarbüschel in der Hand, und die andere Blut im Mund. Zum ersten Mal bricht Nos Stimme, sie schweigt, die Bilder stehen ihr vor Augen, und sie tun ihr weh, das sehe ich, siehst du, das wird aus einem, sagt sie dann, ein Tier, ein verdammtes Tier.

Sie beschreibt mir ihre Tage, was sie sieht und hört, und ich höre zu, so gut ich kann, und ich kann es gut, ich wage kaum zu atmen. Sie macht mir ein Geschenk, da bin ich sicher, ein Geschenk auf ihre Art, mit dieser kleinen Grimasse, die nie aus ihrem Gesicht weicht, diesem Ausdruck von Abscheu und den harten Worten, die sie manchmal sagt, lass mich, lass mich in Ruhe, oder auch: Was glaubst du eigentlich? (Diese Frage ist keine Frage, und sie stellt sie oft, als wollte sie zu mir sagen: Woran glaubst du, an wen glaubst du, glaubst du an Gott?) Ein unbezahlbares Geschenk, ein Geschenk von großem Gewicht, und ich habe Angst, ich bin seiner nicht würdig, ein Geschenk, das die Farben der Welt verändert, ein Geschenk, das alle Theorien in Frage stellt.

Ein Tag im Dezember, der Himmel hängt so schwer und tief wie in den Gedichten, die Fensterscheiben des Cafés sind beschlagen, und draußen regnet es wie aus Kübeln. In zwei Tagen muss ich mein Referat halten, ich habe ein ganzes Heft vollgeschrieben, ich schreibe, so schnell ich kann, ich habe Angst, es könnte das letzte Mal sein, ich habe Angst vor dem Augenblick, in dem ich weggehen werde, ich spüre, dass etwas fehlt, etwas Wichtiges, ich weiß nichts über ihre Familie oder ihre Verwandten, jedes Mal, wenn ich es versucht habe, tat sie, als hätte sie nichts gehört, als wäre sie zu müde, oder sie stand auf und sagte, sie müsse gehen. Das Einzige, was ich in Erfahrung bringen konnte, ist, dass ihre Mutter in Ivry lebt. Sie hat sich nie um sie gekümmert. Mit zwölf Jahren wurde No in eine Pflegefamilie gegeben. Seither hat sie ihre Mutter zwei- oder dreimal gesehen, und das ist lange her. Anscheinend hat ihre Mutter einen Sohn. Und ein neues Leben.

Heute Abend ist es zu spät, zu spät für alles, das denke ich, das geht mir durch den Kopf, *es ist zu spät für sie*, und ich muss nach Hause.

Ab wann ist es zu spät? Seit wann ist es zu spät? Seit dem ersten Tag, als ich sie sah, seit sechs Monaten, zwei Jahren, fünf Jahren? Kann man da rauskommen? Wie kann man mit achtzehn Jahren auf der Straße landen, mit nichts und niemandem? Sind wir so klein, so unendlich klein, dass sich die Welt weiterdreht, die unendlich große, und sich einen Dreck darum schert, wo wir schlafen? Das waren die Fragen, auf die ich Antworten suchte. *Voilà*, mein Heft ist voll, ich habe zusätzlich im Internet recherchiert, ich habe Artikel zusammengefasst, Umfragen gelesen, Zahlen, Statistiken und Trends verglichen, aber all das hat keinen Sinn, all das bleibt unverständlich, selbst mit dem weltgrößten IQ, hier bin ich, mit zerrissenem Herzen, sprachlos sitze ich vor ihr, ich habe keine Antwort, hier bin ich, wie gelähmt, dabei brauchte ich sie nur an der Hand zu nehmen und zu sagen, komm zu mir.

Ich schreibe zwei, drei Sachen auf die letzte Seite, um nicht die Fassung zu verlieren. Sie schweigt. Es ist achtzehn Uhr. Es ist vielleicht das letzte Mal, und es liegt nichts vor ihr, nichts mehr, kein Plan, kein Weg, kein Ausweg, sie weiß nicht einmal, wo sie heute Nacht schlafen wird, ich sehe genau, dass auch sie daran denkt, dennoch, sie sagt nichts. Schließlich stehe ich auf.
»Also. Äh. Ich muss jetzt gehen.«
»O.k.«
»Bleibst du hier?«
»Ja, ich bleib noch ein bisschen.«
»Möchtest du noch etwas bestellen?«
»Nein, nein. Schon gut.«
»Wirst du … Wirst du noch manchmal am Bahnhof sein?«

»Weiß nicht. Vielleicht.«
»Könnten wir uns Dienstag treffen, um dieselbe Zeit? Dann könnte ich dir von meinem Referat erzählen.«
»Hmhm, wenn du willst.«

Ich gehe zur Metro hinunter, und mir ist schwindelig, diese Angst ist viel größer als die vor einem Referat vor der ganzen Klasse, diese Angst ist größer als die, die ich empfände, wenn ich dazu verurteilt würde, bis zum Ende meiner Tage jede Woche ein Referat zu halten, es ist eine namenlose Angst.

Mitten in der Stadt gibt es diese unsichtbare Stadt. Diese Frau, die jede Nacht mit ihrem Schlafsack und ihren Taschen an derselben Stelle schläft. Auf dem Bürgersteig. Die Männer unter den Brücken und in den Bahnhöfen, die Leute, die sich auf Pappkartons legen oder auf einer Bank zusammenrollen. Eines Tages fängt man an, sie zu sehen. Auf der Straße, in der Metro. Nicht nur die, die betteln. Sondern die, die sich verstecken. Man bemerkt ihren Gang, ihre unförmige Jacke, ihren löchrigen Pullover. Eines Tages beginnt man sich für eine Gestalt, einen Menschen zu interessieren, stellt ihm Fragen, sucht nach Gründen und Erklärungen. Und dann zählt man. Die anderen. Zu Tausenden. Wie Symptome unserer kranken Welt. *Die Dinge sind, wie sie sind.* Aber ich glaube, man muss die Augen weit offen halten. Als ersten Schritt.

Voilà, das war der Schlusssatz.
Kurzer Blick auf meine Armbanduhr, ich habe nicht überzogen. Ich dürfte in etwa so rot sein wie mein Pulli, ich halte den Kopf gesenkt und wage es nicht, Monsieur Marin anzusehen, ich sammle meine übers Lehrerpult verstreuten Papiere ein, ich werde an meinen Platz zurückkehren müssen, ich bin nicht sicher, ob ich die nötige Kraft dazu habe, wenn ich verstört bin, bekomme ich weiche Knie, warum sagen sie nichts, warum herrscht da

plötzlich diese Stille, sind sie alle tot, lachen sie, und ich kann sie nicht mehr hören, bin ich stocktaub geworden, ich wage den Kopf nicht zu heben, ein *Zeitversetzung-um-zehn-Minuten-vorwärts*-Schalter wär jetzt gut, sie klatschen, ich träume nicht, ich habe richtig gehört, ich sehe auf, ich sitze ihnen gegenüber, die ganze Klasse klatscht, sogar Léa Germain und Axelle Vernoux, Monsieur Marin lächelt.

Ich sitze wieder an meinem Platz und könnte auf der Stelle einschlafen, so müde bin ich, als hätte ich die Energie eines Jahres in einer einzigen Stunde aufgebraucht, als hätte ich sämtliche Batterien geleert, als bliebe nichts mehr, kein Funken, nicht einmal die Kraft, nach Hause zu gehen. Monsieur Marin hat mir ein »Sehr gut« gegeben und diktiert zum Schluss der Stunde noch einige Definitionen, die wir aufschreiben sollen: Sozialhilfe, medizinische Grundversorgung, Eingliederungsmindesteinkommen (erst ab fünfundzwanzig Jahren), Vierte Welt, Ausgr…

Eine Hand legt sich auf meine Schulter:
»Es hat geklingelt, Krümel …«
Lucas hilft mir, meine Sachen in den Rucksack zu räumen, wir verlassen den Klassenraum als Letzte, auf dem Gang lacht er los, er kann es nicht fassen, Krümel, du bist mitten in Monsieur Marins Stunde eingeschlafen, das muss in die Annalen der Schule, Lou Bertignac pennt während des Unterrichts und kommt ohne Nachsitzen davon!

Ich glaube, ich lache auch, ich bin glücklich, da, auf der Stelle, noch vom Schlaf benommen. Und wenn das das Glück wäre, wenn es gar kein Traum wäre, nicht einmal eine Verheißung, einfach nur der Augenblick?

Am verabredeten Tag und zur verabredeten Zeit ging ich wieder hin. No war nicht da. Ich wartete vor der Brasserie auf sie, ich suchte sie im ganzen Bahnhof, am Zeitungskiosk, vor den Schaltern, in den Toiletten, ich wartete neben dem Pfeiler, an den sie sich manchmal setzte, wenn keine Bullen in Sicht waren, ich suchte in der Menge nach der Farbe ihres Blousons und ihres Haars. Ich setzte mich in den Warteraum und hielt durch die Glasscheiben nach ihrer schmalen Gestalt Ausschau. Am nächsten Tag kam ich wieder, und am übernächsten Tag. Und dann an noch mehr Tagen. Als ich eines Abends zum zehnten Mal am Zeitungsstand vorbeikam, machte mir die rothaarige Dame ein Zeichen. Ich ging zu ihr.

»Suchst du Nolwenn?«

»Ja.«

»Ich habe sie lange nicht mehr gesehen. In letzter Zeit kommt sie nicht mehr allzu oft hierher. Was willst du von ihr?«

»Ach, nichts … Wir wollten nur was zusammen trinken.«

»Wahrscheinlich hat sie sich eine schönere Gegend gesucht. Aber sag mal, wissen deine Eltern, dass du hier bist?«

»Nein.«

»Weißt du, Kleine, du solltest nicht mit solchen Mädchen herumhängen. Ich mag Nolwenn gern, aber sie lebt auf der Straße, sie lebt nicht in derselben Welt wie du, du hast doch sicher Hausaufgaben und noch einen Haufen anderes zu erledigen, du solltest lieber wieder nach Hause gehen.«

Ich ging zur Metro hinunter, ich wartete auf den Zug. Ich betrachtete die Plakate, und mir war zum Heulen, weil No nicht mehr da war, weil ich sie hatte gehen lassen, weil ich mich nicht bei ihr bedankt hatte.

Meine Mutter sitzt in ihrem Sessel, mein Vater ist noch nicht zu Hause. Sie hat das Licht nicht eingeschaltet und sitzt mit geschlossenen Augen da, ich versuche, mich lautlos in mein Zimmer zu verdrücken, doch sie ruft nach mir. Ich gehe zu ihr, sie lächelt. Wenn sie mich so ansieht, wenn sie mir so nah ist, schiebt sich ein anderes Bild zwischen uns, ein zugleich durchsichtiges und scharfes Bild, wie ein Hologramm, ein anderes Gesicht, sanfter, ruhiger, ohne diese Falte auf der Stirn, das ist sie von vorher, sie lächelt mir mit einem echten Lächeln zu, einem Lächeln, das von innen kommt, keinem Fassadenlächeln, das die Risse verdeckt, keinem schweigenden Lächeln, sie ist es, und zugleich ist sie es nicht mehr, ich kann die echte nicht mehr von der falschen unterscheiden, bald werde ich dieses Gesicht vergessen, mein Gedächtnis wird loslassen, bald wird es nur noch die Fotos als Erinnerungsstütze geben. Meine Mutter fragt mich nicht, warum ich so spät komme, sie hat jegliches Zeitgefühl verloren, sie sagt, dein Vater hat angerufen, er kommt gleich. Ich räume meine Sachen weg und begin-

ne den Tisch zu decken, sie steht auf, folgt mir in die Küche, sie fragt, wie es mir geht, sie ist da, bei mir, und ich weiß, wie viel es sie kostet, es ist eine Anstrengung für sie, ich antworte, alles sei in Ordnung, ja, in der Schule geht es gut, ich war bei meiner Freundin, die, von der ich dir erzählt habe, ich habe ein »Sehr gut« fürs Referat bekommen, ich weiß nicht mehr, ob ich es euch gesagt habe, alles bestens, ja, die Lehrer sind nett, die Schüler auch, in zwei Tagen gibt es Ferien.
»Schon?«
Sie wundert sich, die Zeit vergeht so schnell, schon Weihnachten, schon Winter, schon morgen und nichts tut sich, und das ist das Problem, wirklich, unser Leben ist erstarrt, und die Erde dreht sich weiter.

Als die Tür aufgeht, ist da dieser kalte Luftschwall von draußen, der mit einem Schlag den Flur erfüllt, mein Vater macht die Tür sofort wieder zu, *voilà*, er ist im Warmen, wir sind im Warmen, ich denke an No, irgendwo, ich weiß nicht wo, auf welchen Gehwegplatten, in welchem Luftzug.
»Schau mal, Süße, ich hab was gefunden, was dich interessieren dürfte.«
Mein Vater hält mir ein Buch hin, *Vom unendlich Kleinen zum unendlich Großen*, ich war im Internet darauf gestoßen und träumte schon seit Wochen davon, es ist tonnenschwer und voller herrlicher Bilder auf Hochglanzpapier und so, ich werde mich beherrschen müssen, damit ich es nicht schon vor dem Abendessen verschlinge.

Erst einmal nehme ich die Moussaka-Verpackung, die noch auf dem Küchentisch liegt, an mich und erkläre laut und deutlich meine Absicht, sie zu behalten: Von nun an sei mir jede Lebensmittelverpackung von Picard auszuhändigen. Ich wolle in Bälde eine komparative Untersuchung durchführen, Tiefkühlgerichte seien keineswegs schlecht, doch sie schmeckten alle mehr oder minder gleich, egal ob Moussaka, Hackbraten mit Püree, Mittelmeer-Pfanne oder Stockfisch-Brandade, es müsse eine gemeinsame Zutat geben, irgendetwas Hervorschmeckendes. Meine Mutter lacht, und das kommt so selten vor, dass schon allein das gründliche Nachforschungen rechtfertigt.

Im Bett denke ich an die Frau aus dem Zeitungskiosk, und mir geht wieder dieser Satz durch den Kopf, *sie lebt nicht in derselben Welt wie du.*

Es ist mir scheißegal, dass es in der einen Welt mehrere Welten gibt und dass man in seiner bleiben soll. Ich will nicht, dass meine Welt eine Untermenge A ist, die keine Schnittmengen mit anderen Mengen (B, C oder D) bildet, eine an die Tafel gemalte in sich abgeschlossene Knolle, eine leere Menge. Ich wäre lieber anderswo, würde lieber einer Geraden folgen, die zu einem Ort führt, wo die Welten miteinander kommunizieren, sich überschneiden, wo die Umrisse durchlässig sind, wo das Leben linear verläuft, ohne Brüche, wo die Dinge nicht plötzlich und grundlos aufhören, wo den wichtigen Momenten eine Gebrauchsanweisung (Risikostufe, Netzanschluss oder Batterie, voraussichtliche Betriebsdauer ohne Stromzufuhr) und das nötige Zubehör (Airbags, GPS, ABS-System) beiliegen.

Manchmal kommt es mir so vor, als wäre in meinem Innern etwas nicht in Ordnung, ein falsch angeschlossener Draht, ein defektes Teil, ein Fabrikationsfehler, nicht etwas Zusätzliches, wie man meinen könnte, sondern etwas, das fehlt.

Monsieur Muller, an die Tafel bitte.«

Lucas fährt seinen großen Körper aus, er steht lässig auf, steigt aufs Podium und stellt sich vor die glatte Fläche.

»Zeichnen Sie einen Kreis.«

Lucas nimmt die Kreide und folgt der Anweisung.

»Das ist Ihre Note.«

Allgemeines Erbeben.

»Sie dürfen Ihre Sachen packen und den Rest der Stunde im Hausaufgabenraum verbringen. Ich kann eine so dürftige Leistung in einem seit zwei Wochen angekündigten Test nicht akzeptieren.«

Monsieur Marin verteilt die Hefte, Lucas packt mit unbewegter Miene seine Sachen und wirft mir einen verschwörerischen Blick zu.

Es gehört mehr dazu, ihn aus der Fassung zu bringen. Schlurfend geht er zur Tür, er lässt sich Zeit.

Nach der Schule sehe ich ihn, er lehnt rauchend an einem Einbahnstraßenschild. Er winkt mir zu und ruft meinen Namen, und jedes Mal fühlt es sich gleich an in meinem Körper, wie ein Luftloch, als rutschte mir der Magen plötzlich auf die Fußsohlen und schnellte dann ebenso plötzlich wieder nach oben, wie in den Aufzügen der Tour Montparnasse, wenn man zur Aussichtsplattform fährt. Er hat auf mich gewartet.

»Magst du mit zu mir kommen, Krümel?«
Panik in Disneyland, rote Warnlampen, Generalmobilmachung, biologischer Aufruhr, Kurzschluss, interne Karambolage, Not-Evakuierung, siderische Umlaufzeit.
»Äh … Danke … Nein … Ich kann nicht.« (Diese Dialogmächtigkeit, wie mein Vater sagen würde.)
Ich möchte zu gerne, aber wenn.
Vielleicht hat es gar nichts damit zu tun.
Aber wenn er mich küsst.
Vielleicht will er sich ja nur ein bisschen mit mir unterhalten.
Aber wenn.
Wenn man küsst, in welche Richtung muss man dann die Zunge drehen? (Rein logisch gesehen im Uhrzeigersinn, aber andererseits hat Küssen, nehme ich zumindest an, nichts mit Logik, mit der üblichen Ordnung zu tun, es ist also nicht auszuschließen, dass man sie gegen den Uhrzeigersinn dreht.)
»Ich muss nach Hause. Danke. Vielleicht ein andermal.«

Er geht, die Hände in den Hosentaschen, die Säume seiner Jeans sind verschlissen, weil sie ständig über den Boden schleifen, selbst von weitem ist er schön. Vielleicht gibt es kein andermal. Vielleicht hat man im Leben eine einzige Chance, Pech, wenn man nicht imstande ist, sie zu ergreifen, sie kommt nicht wieder. Vielleicht habe ich gerade *meine* Chance verpasst. Im Bus betrachte ich die Leute, ich frage mich, ob sie imstande waren, ihre Chance zu ergreifen, nichts weist darauf hin, nichts spricht dagegen, auf allen Gesichtern derselbe müde Ausdruck, manchmal ein vages Lächeln, ich steige ein paar Stationen vorher aus, um zu laufen, das mache ich oft, wenn ich keine Lust habe, nach Hause zu gehen, jedenfalls nicht sofort. Ich gehe nicht mehr zum Bahnhof, ich trödele ein bisschen über den Boulevard Richard-Lenoir, dort gibt es viele Obdachlose, in den kleinen Parks und Grünanlagen auf dem Mittelstreifen und den Plätzen, sie haben sich zu Grüppchen zusammengefunden mit ihren Taschen, Hunden und Schlafsäcken, sie versammeln sich um die Bänke, sie unterhalten sich, trinken aus Bierflaschen, manchmal lachen sie, sie sind fröhlich, manchmal streiten sie auch. Oft sind Mädchen bei ihnen, junge Mädchen, sie haben strähniges Haar, alte Schuhe und so. Ich betrachte sie aus der Ferne, die kaputten Gesichter, die rissigen Hände, die vor Dreck starrende Kleidung, das zahnlückige Lachen. Ich betrachte sie voller Scham, sie klebt an mir, diese Scham, weil ich auf der sicheren Seite bin. Ich betrachte sie mit der Angst, No sei wie sie geworden. Durch meine Schuld.

Vor einigen Tagen ist Mouloud gestorben. Er lebte seit zehn Jahren auf der Straße, in unserem Viertel. Er hatte sein Metrogitter an einer Straßenkreuzung, in einer Mauernische direkt neben der Bäckerei. Das war sein Territorium. Auf dem Weg zur Grundschule habe ich ihn einige Jahre lang dort gesehen, jeden Morgen und jeden Abend. Die Schulkinder kannten ihn gut. Anfangs hatten wir Angst vor ihm. Und dann gewöhnten wir uns an ihn. Wir grüßten ihn. Wir blieben stehen und unterhielten uns mit ihm. Er ging nicht in die Unterkünfte, weil sein Hund nicht mitdurfte. Nicht einmal, wenn es sehr kalt war. Die Leute gaben ihm Decken, Kleider und Nahrungsmittel. Er war Stammgast im Café gegenüber, ansonsten trank er Wein aus Plastikflaschen. Weihnachten bekam er Geschenke. Mouloud war Kabyle, er hatte blaue Augen. Er war schön. Es hieß, er sei zehn Jahre lang Arbeiter bei Renault gewesen und dann sei ihm eines Tages die Frau weggelaufen.

Mouloud erlitt einen Schwächeanfall, man brachte ihn ins Krankenhaus, und am nächsten Tag erfuhren wir, dass er an einer Lungenembolie gestorben war. Die Inhaber des Cafés sagten es meinem Vater. Die Leute fingen an, kleine Plakate, Briefe, Würdigungen und sogar ein Foto an der Stelle anzubringen, an der er sich niedergelassen hatte. Sie stellten Kerzen auf und legten Blumen nieder. Am Freitag darauf fand eine Versammlung statt, etwa hundert Menschen waren an seinem Zelt zusammengekommen, das noch dastand, niemand hatte daran rühren wollen. Am Tag darauf erschien in *Le Parisien* ein Artikel über Mouloud mit einem Foto seiner in einen Altar verwandelten Schlafecke.

Die Dame von der Bar gegenüber nahm Moulouds Hund auf. Hunde kann man bei sich aufnehmen, Obdachlose nicht. Wenn jeder von uns einen Obdachlosen aufnähme, wenn sich jeder um einen Menschen, einen einzigen, kümmern würde, ihm helfen und für ihn da sein würde, überlegte ich, dann gäbe es vielleicht weniger auf der Straße. Mein Vater antwortete mir, das sei nicht möglich. Alles ist immer komplizierter, als man auf den ersten Blick meint. *Die Dinge sind, wie sie sind,* und gegen viele kann man nichts tun. Wahrscheinlich ist es das, was man akzeptieren muss, um erwachsen zu werden.

Wir sind imstande, Überschallflugzeuge und Raketen ins All zu schicken, einen Verbrecher anhand eines Haars oder eines winzigen Hautpartikels zu identifizieren, eine Tomate zu züchten, die im Kühlschrank drei Monate lang völlig faltenfrei bleibt, und Milliarden von Informationen auf einem Mikrochip zu speichern. Wir sind imstande, die Leute auf der Straße sterben zu lassen.

In den Weihnachtsferien bleiben wir in Paris. Meine Mutter verreist nicht mehr gern; das Land, die Berge, all das geht über ihre Kräfte, sie hat das Bedürfnis, zu Hause zu bleiben, sie braucht ihr vertrautes Terrain. Abends ist mir, als könnte ich uns von außen sehen, durch die großen Fenster, der Weihnachtsbaum funkelt hinten im Wohnzimmer, behängt mit denselben Kugeln und Girlanden, die wir seit Jahrhunderten immer wieder herausholen, niemand interessiert sich dafür oder achtet darauf, nicht einmal mein Vater, dabei ist er gut in Sachen Familien-Illusion. Wir wären uns sicher alle darin einig, dass es keinen Sinn hat, aber niemand sagt es, also holen wir jedes Jahr den Karton hervor, schmücken den Baum, planen das Essen. Meistens kommen meine Großeltern aus der Dordogne, am Weihnachtsabend schlafen sie bei uns, das Einzige, was mir Spaß macht, ist das sehr späte Abendessen, denn sie gehen zur Christmette (meine Großmutter will vorher nicht essen, weil sie mit vollem Magen einschlafen würde). Am nächsten Tag kommen meine Tante, mein Onkel und meine Cousins zum Mittagessen zu uns. Weihnachtsfrieden bedeutet, dass man so tun muss, als wäre man froh und glücklich und stünde mit allen Mitmenschen auf bestem Fuß. Zu Weihnachten zum Beispiel laden wir meine Tante ein (die Schwester meines Vaters), die sich immer im Beisein meiner Mutter über sie auslässt, als wäre meine Mutter gar nicht da, als wäre sie Teil der Zimmereinrichtung, Anouk sollte sich einen Ruck geben, irgendwann muss man sein Leben doch wieder in die Hand nehmen, findest du nicht, Bernard, das ist nicht gut für die Kleine, die ist doch so schon ganz durcheinander, und du, du siehst erschöpft aus, du kannst dich nicht die ganze Zeit um alles kümmern, sie muss einfach damit fertig werden. Mein Vater antwortet nicht, meine Mutter tut so, als hätte sie nichts gehört, wir lassen die Schüsseln kreisen, nehmen noch ein wenig Lamm, Truthahn oder was immer, reden weiter über ihren letzten Urlaub auf Mauritius, das Buffet war rie-sig, das Unterhaltungsprogramm phan-tas-tisch, wir haben ein sehr nettes Paar kennengelernt, die Jungs sind getaucht. Ich mag es nicht, wenn man Wehrlose angreift, es bringt mich aus der Fassung, und besonders, wenn es um meine Mutter geht, also habe ich eines Tages zu ihr gesagt: Und du, Sylvie, wie würde es denn dir gehen, wenn du dein totes Kind in den Armen gehalten hättest? Mit einem Mal herrschte polare Kälte, ich dachte wirklich, sie würde an ihrer Auster ersticken, es herrschte langes Schweigen, es war ein wunderbarer Augenblick, wegen des Lächelns, das auf den Lippen meiner Mutter erschien, ein ganz schwaches Lächeln, meine Großmutter strich mir über die Wange, und dann ging die Unterhaltung weiter.

Weihnachten ist eine Lüge, welche die Familien um kerzenbestückte tote Bäume versammelt, eine aus nichtssagenden Gesprächen gesponnene und unter kiloweise Buttercreme vergrabene Lüge, an die kein Mensch glaubt.

Sie sind alle wieder weg. Ich trage ein Goldkettchen mit einem herzförmigen Anhänger um den Hals, meine Eltern haben es mir geschenkt. Eines Abends beim Essen denke ich an No, Mouloud und Lucas, ich sehe auf den Teller vor mir, ich versuche gleichzeitig die Nudeln und das Klopfen meiner Füße unter dem Tisch zu zählen. Es macht mir Spaß, mich zweizuteilen, zwei Tätigkeiten parallel auszuführen, zum Beispiel ohne Unterbrechung ein Lied zu singen und gleichzeitig eine Bedienungsanleitung oder ein Plakat zu lesen. Ich stelle mich vor Herausforderungen, egal, wie absurd sie sind. Sechsundvierzig Nudeln und vierundfünfzig Klopfer später höre ich mit dem Zählen auf. All das ist sinnlos. Es hat nur den einen Sinn, etwas zu vergessen: No ist allein. No ist irgendwo, und ich weiß nicht wo. No hat mir ihre Zeit geschenkt, und ich habe ihr nichts gegeben.

Am nächsten Tag nahm ich die Metro bis zur Station Porte de Bagnolet und stürzte mich gleich ins Einkaufszentrum. Ich überlegte kurz, ob ich einen Einkaufswagen nehmen sollte, um weniger aufzufallen, es war zehn Uhr und der Supermarkt bereits voll. An der Fleischtheke wartete ein knappes Dutzend Leute, zwei Verkäuferinnen bedienten. Ich reihte mich in die Schlange ein und beobachtete sie. Sie trugen beide eine weiße Schürze und eine Art Häubchen aus Stoff, die eine hatte glattes blondes Haar, die andere krauses schwarzes. Ich gab mich in die Hände des Zufalls: Wenn ich an der Reihe wäre, musste es einfach Nos Freundin Geneviève sein, die sich nach meinen Wünschen erkundigte.
Manchmal gehorcht der Zufall der Notwendigkeit. Das ist eine meiner Theorien (die sogenannte *Theorie des absolut Unerlässlichen*). Man muss bloß die Augen schließen, die erwünschte Situation visualisieren, sich auf das Bild konzentrieren, keine Störung erlauben und sich nicht ablenken lassen. Und dann geschieht etwas, genau wie man es gewollt hat. (Natürlich funktioniert es nicht jedes Mal. Wie jede Theorie, die diesen Namen verdient, lässt auch die *Theorie des absolut Unerlässlichen* Ausnahmen zu.)
Die Dunkelhaarige fragte nach meinen Wünschen. Ich zuckte zusammen.
»Ich suche jemanden, den Sie vielleicht kennen. Sie heißt No.«

»Nolwenn?«
»Ja.«
»Was willst du von ihr?«
Ich hatte mich so sehr konzentriert, dass ich vergessen hatte, was ich sagen wollte.
»Ich möchte sie gern wiedersehen.«
»Hör mal, ich arbeite hier, ich kann hier nicht mit dir rumquatschen.«
»Kommt sie noch zu Ihnen?«
»Nein. Ich habe ihr gesagt, sie soll gehen und nicht mehr wiederkommen. Ich konnte sie nicht bei mir behalten. Sie aß meinen Kühlschrank leer, machte den ganzen Tag über nichts und suchte sich auch keinen Job.«
»Wissen Sie, wo sie ist?«
»Als Letztes hab ich gehört, sie wäre in einem Heim. Aber so was dauert nie lange. Ich weiß nicht mehr, in welchem.«
Die Dame hinter mir, sie steckte in einem unförmigen grünen Mantel und stützte sich auf einen randvollen Einkaufswagen, wurde langsam ungeduldig.
Ich bedankte mich und machte kehrt.

Ich nahm wieder die Metro, stieg an der Bastille aus und lief bis zur Rue de Charenton. Gegenüber der Haltestelle des 29er-Busses, hinter der Oper, stand direkt auf dem Bürgersteig ein Iglu-Zelt – genau wie No es mir beschrieben hatte. Dahinter stapelten sich, dicht an die Mauer geschoben, Kartons, Einkaufstaschen und Decken. Das Zelt war verschlossen. Ich rief. Unschlüssig wartete ich einige Minuten, dann begann ich den Reißverschluss aufzuziehen. Ich steckte meinen Kopf ins Innere, es stank entsetzlich, ich ging auf alle viere und wagte mich auf der Suche nach einem Indiz (als Kind spielte ich mit meinen Cousins oft Detektiv, ich war die Beste) weiter vor, ich warf einen Blick in die Runde, im Hintergrund waren Plastiktüten aufgehäuft, auf dem Boden lagen einige leere Bierflaschen.

»He! Ho!«

Ich wollte aufspringen, doch ich trat mir auf den Schnürsenkel und schlug der Länge nach hin, der Mann hinter mir knurrte, er packte mich am Kragen und hatte mich im Nu aus dem Zelt geholt und wieder auf die Beine gestellt. Ein Schalter *Augenblickliche Verflüchtigung* wär mir da eine echte Hilfe gewesen. Er war ganz rot im Gesicht und roch nach Wein.

Ich starb fast vor Angst.

»Was treibst du da?«

Mein Herz schlug sehr schnell, ich brauchte etwa zwei Minuten, bis ich einen Ton herausbringen konnte.

»Hat man dir nie gesagt, dass man nicht einfach bei anderen Leuten reingehen darf?«

»Entschuldigen Sie bitte, ich … Ich suche No. Sie hat mir gesagt, sie kennt Sie.«

»Ich kann mich nicht erinnern.«

»Äh … Sie ist brünett und hat blaue Augen, nicht sehr groß, die Haare wie meine, etwas kürzer. Sie hat ein oder zwei Nächte mit Ihnen verbracht, ich meine, in Ihrem Zelt.«

»Hmja … Das sagt mir irgendwas.«

»Wissen Sie, wo ich sie finden könnte?«

»Hör zu, ich will keinen Ärger. Außerdem hab ich zu tun, ich muss aufräumen.«
»Wie lange haben Sie sie schon nicht mehr gesehen?«
»Ich hab dir doch gesagt, ich hab keine Zeit.«
»Hätten Sie nicht irgendeine winzige Idee? Bitte.«
»Also wirklich, du weißt, was du willst … Aber ich helfe halt mal aus, für ein oder zwei Nächte, und dann vergesse ich die Leute.«
Er sah mich lange an, meinen Mantel, meine Stiefeletten, mein Haar, er kratzte sich am Kopf, wie jemand, der sich unschlüssig ist.
»Wie alt bist du?«
»Dreizehn. Fast vierzehn.«
»Bist du mit ihr verwandt?«
»Nein.«
»Manchmal ist sie in der Suppenküche in der Rue Clément. Ich hab ihr den Tipp gegeben, ab und an treffe ich sie dort. So, aber jetzt mach dich vom Acker.«

Als ich wieder zu Hause war, recherchierte ich auf der Website der Stadtverwaltung und fand die genaue Adresse, die Öffnungszeiten und die Telefonnummer. Die Mahlzeiten werden zwischen 11 Uhr 45 und 12 Uhr 30 ausgegeben, die Nummern ab 10 Uhr. Ich stellte mich an mehreren Tagen hintereinander auf den Bürgersteig gegenüber und beobachtete über eine Stunde lang, wie die Leute ein und aus gingen, ich habe sie nicht gesehen.

Es ist der letzte Ferientag, die Schlange zieht sich über etwa fünfzig Meter, die Türen sind noch geschlossen, ich erkenne ihren Blouson schon von weitem. Je näher ich komme, desto schwächer fühle ich mich auf den Beinen, ich muss langsamer gehen, mir Zeit lassen, sehr komplizierte Multiplikationen und Divisionen im Kopf ausführen, während ich auf sie zugehe, um sicherzustellen, dass ich weitergehe. Das mache ich oft, wenn ich Angst habe, ich könnte anfangen zu weinen oder den Rückzug antreten, dann gebe ich mir zehn Sekunden, um drei Wörter zu finden, die mit h anfangen und mit e enden, ein vertracktes Verb wie *dünken* im Konjunktiv II zu konjugieren oder hochkomplizierte Gleichungen mit vielen Unbekannten aufzustellen. Sie sieht mich. Sie sieht mir geradewegs in die Augen. Keine Geste, kein Lächeln, sie wendet sich ab, als hätte sie mich nicht erkannt. Ich komme auf ihrer Höhe an, ich sehe ihr Gesicht, wie sehr sie sich verändert hat, diese Bitterkeit um den Mund, diesen Ausdruck von Niederlage, Aufgabe. Ich bleibe stehen, sie ignoriert mich, sie wartet, eingeklemmt zwischen zwei Männern, sie macht keinen Schritt, um sich Luft zu verschaffen, sie bleibt da, hinter dem Dickeren, das Gesicht in ihrem Schal vergraben. Die Stimmen verstummen, einige Sekunden lang sehen mich alle an, von unten nach oben und von oben nach unten.

Ich bin gut angezogen. Ich trage einen sauberen Mantel mit einem funktionierenden Reißverschluss, geputzte Schuhe, einen Markenrucksack, mein Haar ist glatt und gut geschnitten. In einem Logikspiel, in dem man den Eindringling erraten müsste, käme man sehr schnell auf mich.

Die Gespräche setzen wieder ein, leise und aufmerksam, ich gehe näher an sie heran.

Ich komme nicht dazu, den Mund zu öffnen, sie wendet mir den Kopf zu, ihr Gesicht ist hart, verschlossen.

»Was treibst du hier?«

»Ich hab dich gesucht …«

»Was willst du?«

»Ich hab mir Sorgen um dich gemacht.«

»Mir geht's sehr gut, danke.«

»Aber du …«

»Mir geht's gut, hast du verstanden? Mir geht's sehr gut. Ich brauche dich nicht.«

Sie hat mit erhobener Stimme gesprochen, durch die Schlange geht ein Raunen, ich verstehe nur Bruchstücke, was ist los, es ist die Kleine da, was will sie, ich kann mich nicht mehr rühren, No stößt mich brüsk zurück, ich rutsche vom Bürgersteig, ich kann meinen Blick nicht von ihrem Gesicht lösen, sie hält die Hand weiter ausgestreckt, um mich auf Distanz zu halten.

Ich möchte ihr sagen, dass ich sie brauche, dass ich nicht mehr lesen kann, nicht mehr schlafen, dass sie nicht das Recht hat, mich so allein zu lassen, obwohl ich weiß, dass es eine verkehrte Welt ist, die Welt dreht sich sowieso verkehrt herum, man braucht sich bloß umzuschauen,

ich möchte ihr sagen, dass sie mir fehlt, obwohl sie es ist, der es an allem fehlt, an allem, was man zum Leben braucht, aber ich bin auch ganz allein, und ich wollte sie abholen.
Die Ersten betreten jetzt das Gebäude, die Schlange rückt rasch vor, und ich folge ihr.
»Hau ab, Lou, ich sag's dir. Du gehst mir auf den Geist. Du hast hier nichts zu suchen. Das ist nicht dein Leben, verstehst du, das ist nicht dein Leben!«

Die letzten Worte hat sie gebrüllt, mit unglaublicher Heftigkeit, ich weiche zurück, schaue sie aber immer noch an, schließlich drehe ich mich um und gehe, einige Meter weiter sehe ich mich ein letztes Mal um, sie tritt gerade ins Haus, auch sie sieht sich um, sie bleibt stehen, es sieht aus, als weine sie, sie rührt sich nicht mehr, die anderen rempeln sie an, gehen an ihr vorbei, ich höre, wie jemand sie beschimpft, sie antwortet mit einer Beleidigung, spuckt auf den Boden, ein Mann stößt sie weiter, sie verschwindet im Dunkel eines Korridors.
Ich mache mich wieder auf den Weg zur Metrostation, man braucht nur der grauen Linie des Bürgersteigs zu folgen, ich zähle die städtischen Abfalleimer von Paris, die grünen auf der einen und die gelben auf der anderen Seite, ich glaube, in diesem Augenblick verabscheue ich sie, sie und alle Obdachlosen der Welt, sie bräuchten bloß netter zu sein, weniger schmutzig, geschieht ihnen recht, sie bräuchten sich bloß bemühen, ein wenig liebenswürdiger zu sein, statt auf den Parkbänken zu saufen und auf den Boden zu spucken.

Wenn ich in den Himmel sehe, frage ich mich immer, bis wohin er reicht, ob es ein Ende gibt. Wie viele Milliarden Kilometer man zurücklegen müsste, um seinen Rand zu sehen. Ich habe in meinem neuen Buch nachgeschlagen, es gibt ein ganzes Kapitel zu dieser Frage. Verschiedene im Rahmen der Urknalltheorie interpretierte Beobachtungen lassen vermuten, dass das Universum 13,7 Milliarden Jahre alt ist. Und etwa 300.000 Jahre nach der Geburt des Universums erhielt das Licht freie Fahrt (das Universum wäre somit transparent geworden). Das am weitesten entfernte theoretisch beobachtbare Objekt hat sein Licht in den ersten Momenten des transparent gewordenen Universums ausgestrahlt. Es entspricht dem, was man als *sichtbaren Horizont* bezeichnet. Der 13,7 Milliarden Lichtjahre alte Lichtstrahl ist also das sichtbare Universum. Über diese Entfernung hinaus kann man nichts sehen, man weiß deshalb nicht, ob sich das Universum weiter erstreckt oder nicht. Man weiß auch nicht, ob diese Frage überhaupt einen Sinn hat. Und deshalb bleiben die Leute daheim, in ihrer kleinen Wohnung, mit ihren Möbelchen, ihren Tellerchen, ihren Gardinchen und so, wegen des Schwindels. Denn sobald man den Blick hebt, kann man der Frage nicht mehr ausweichen, genauso wenig wie der Frage, was wir, die wir so klein sind, eigentlich in dem Ganzen sollen.

Wenn mein Vater abends nach Hause kommt, bestürme ich ihn mit Fragen, die auch er nicht immer beantworten kann, dann schlägt er in Büchern nach oder recherchiert im Internet, er gibt nie auf, auch nicht, wenn er sehr müde ist. Neulich habe ich ihn gefragt, was *tellurisch* bedeutet, ich habe durchaus gemerkt, dass er lieber den Fernseher eingeschaltet und eine gute Serie mit modernen Ermittlern gesehen hätte, die zwar tagsüber Kriminelle aufspüren und vertrackte Rätsel lösen, aber Sorgen haben wie jeder andere auch und sich auch in Liebesgeschichten verstricken, trotzdem hat er in seinen Büchern nachgelesen, um mir die exakte Definition zu geben. Wenn mein Vater gewollt hätte, hätte er ein guter Fernsehkommissar sein können. Er wird nie wütend, er hat eine Lederjacke, eine kranke Frau, um die er sich sehr gut kümmert, und eine etwas schwierige heranwachsende Tochter, kurzum, er erfüllt alle Kriterien dafür, dass man Sympathie für ihn entwickelt und nicht möchte, dass ihm etwas zustößt.

Wenn ich mit ihm zusammen fernsehe, lege ich ein Schweigegelübde ab, aber manchmal ist es stärker als ich, ich kann mich nicht zurückhalten und gebe einen Kommentar ab oder weise ihn auf etwas hin, etwa darauf, dass das Haar der Heldin auf dem Sofa hinter ihren Schultern liegt, in der Einstellung danach aber nach vorn hängt, obwohl sie sich nicht bewegt hat. Dann neckt er mich und sagt, stell den Computer aus, Lou, drück die Pause-Taste, er zerzaust mein Haar, du wirst schon sehen, welche Frisur du gleich hast, sagt er.

Als ich klein war, legte meine Mutter oft ein oder zwei

Stückchen Schokolade auf eine Brotscheibe und schob diese dann in den Backofen, ich hockte hinter der Glasscheibe und sah zu, wie die Schokolade schmolz und von der festen zur weichen Form überging, das fand ich am schönsten daran, diese Metamorphose zu beobachten, viel schöner noch als die Aussicht darauf, die Schokolade auf dem Brot zu verstreichen und das Ganze zu verspeisen. Als ich klein war, sah ich zu, wie das Blut auf meinen Schürfwunden gerann, ich beachtete den Schmerz nicht, ich wartete auf den letzten Tropfen, den, der trocknen und sich zu einer kleinen Kruste entwickeln würde, die ich schließlich abreißen konnte. Als ich klein war, hielt ich es so lange wie möglich mit dem Kopf nach unten aus, um ganz rot zu werden, und dann richtete ich mich ruckartig auf und sah im Spiegel zu, wie mein Gesicht nach und nach wieder seine normale Farbe annahm. Ich experimentierte. Jetzt warte ich auf die Veränderung meines Körpers, aber ich bin nicht wie die anderen Mädchen, ich rede nicht von meinen Klassenkameradinnen, sie sind fünfzehn, ich rede von den Mädchen meines Alters. Wenn ich ihnen auf der Straße begegne, sehe ich genau, dass sie gehen, als gingen sie irgendwohin, sie sehen nicht auf ihre Füße, und aus ihrem Lachen klingen all ihre gemeinsamen Schwüre. Mir jedoch gelingt es nicht zu wachsen, eine andere Form anzunehmen, ich bin und bleibe ganz klein, vielleicht weil ich das Geheimnis kenne, von dem die anderen nichts wissen wollen, vielleicht weil ich weiß, wie winzig klein wir sind.

Wenn man zu lange im Badewasser liegen bleibt, bekommt man ganz schrumpelige Finger. Die Erklärung dafür habe ich in einem Buch gelesen: Unsere oberste Hautschicht, die Epidermis, nimmt Wasser auf, dehnt sich aus und wirft Falten. Das nämlich ist das eigentliche Problem: Wir sind Schwämme. Und in meinem Fall betrifft das nicht nur Hände und Füße. Ich nehme alles auf, immer, ich bin durchlässig. Meine Großmutter findet das gefährlich und sehr ungesund. Die arme Kleine, sagt sie, irgendwann platzt ihr der Kopf von all dem, was sie aufsaugt, wie soll sie sich da noch orientieren, eine Auswahl treffen, Bernard, du solltest sie in einen Gymnastikkurs schicken oder ihr Tennisstunden geben lassen, damit sie sich ein wenig austobt, damit sie ins Schwitzen kommt, sonst stolpert sie noch über ihren Kopf.

Er ist hinten in den Bus eingestiegen, an der ersten Haltestelle nach meiner. Er steht direkt vor mir. Er hält mir die Wange hin, ich halte mich an der Stange fest, aber ich lasse sie los, um einen Schritt auf ihn zu zu machen, und trotz all der Leute ringsum kann ich den Weichspülergeruch wahrnehmen, der seiner Kleidung entströmt.

»Hattest du schöne Ferien, Krümel?«

Ich verziehe nur das Gesicht.

Lucas steht vor mir, in dieser lässigen Haltung, die er nur selten verliert. Dabei weiß ich, er weiß es. Er weiß, dass alle Mädchen auf der Schule verrückt nach ihm sind, er weiß, dass Monsieur Marin ihn respektiert, auch wenn er ihn andauernd kritisiert, er weiß, wie wenig wir die Zeit beherrschen und dass die Welt nicht rundläuft. Er weiß, wie man durch die Glasscheiben und den Nebel sieht, er weiß um Stärke und Schwäche, er weiß, dass wir alles sind und dessen Gegenteil, er weiß, wie schwer es ist, groß zu werden. Einmal hat er mir gesagt, ich sei eine Fee.

Er beeindruckt mich. Ich beobachte ihn, während der Bus wieder anfährt, wir schieben uns nach hinten durch, er will Näheres über mein Weihnachten wissen, ich gebe ihm die Frage nur zurück. Er war bei seinen Großeltern auf dem Land, er lächelt achselzuckend.

Wie gern würde ich ihm erzählen, dass ich No verloren

habe, dass ich mir Sorgen um sie mache, ich bin sicher, er würde es verstehen. Ihm sagen, dass ich an manchen Abenden keine Lust habe, nach Hause zu gehen, wegen all der Trauer, die an den Wänden klebt, wegen der Leere in den Augen meiner Mutter, wegen der in den Schachteln vergrabenen Fotos, wegen der Fischstäbchen.
»Wir könnten doch mal einen Abend Schlittschuh laufen gehen, wenn du magst, Krümel?«
»Hmmm.«
(Bei Go Sport habe ich Schlittschuhe gesehen, da sind haufenweise Schnürsenkel dran, die man durch Häkchen ziehen muss. Eine unlösbare Aufgabe.)
Vor der Schule steigen wir aus, die Tore sind noch nicht offen, die Schüler finden sich zu Grüppchen zusammen, sie reden, albern, rauchen, Lucas kennt hier alle, aber er bleibt bei mir.
Ich versuche, unbekümmert zu wirken und die Gedanken zu verbannen, diese Gedanken, die mir manchmal durch den Kopf schießen, wenn ich sehe, alles könnte geschehen, das Beste und das Schlimmste, diese Gedanken tauchen in allen möglichen Augenblicken auf, sobald meine Aufmerksamkeit nachlässt, sie sind wie ein optischer Filter, durch den man das Leben in anderem Licht sieht. Das Leben in schöner oder als Katastrophe, je nachdem.

Ich versuche dem Gedanken auszuweichen, dass Lucas eines Tages die Arme um mich legen und mich an sich drücken könnte.

Mitten in der Flut treibend, gehe ich durch das große Tor hinaus. Ich sehe sie auf dem Bürgersteig gegenüber. Ich sehe sie sofort: ein dunkler Punkt im Abendlicht. No wartet auf mich. Sie hat sich den Namen meiner Schule gemerkt und ist gekommen. Sie schleppt nicht ihren üblichen Krempel mit sich herum, sie hat sich nur eine Tasche über die Schulter gehängt. No ist da, ich brauche nur über die Straße zu gehen. Man sieht von weitem, dass sie schmutzig ist, auf ihrer Jeans sind schwarze Flecken, ihr Haar klebt strähnig zusammen. Ich bleibe reglos stehen, mehrere Minuten lang, die anderen Schüler rempeln mich an, wie in einem Strudel höre ich ringsum Mofageknatter, Lachen und laute Stimmen. Ich stehe da. Ihr gegenüber. Irgendetwas hält mich zurück. Dann sehe ich ihre geschwollenen Augen, die dunklen Spuren auf ihrem Gesicht, ihre Unsicherheit, und mit einem Mal ist in mir keine Bitterkeit mehr, kein Groll, nur noch der Wunsch, sie in die Arme zu nehmen. Ich gehe hinüber. Ich sage, komm. Sie folgt mir zur *Bar Botté*. Die Leute schauen uns an. Die Leute schauen uns an, weil No auf der Straße lebt und weil man das so deutlich sieht wie die Nase im Gesicht.

Sie spricht mit gesenktem Kopf, die Hände um ihre Tasse gelegt, sie sucht Wärme, auch wenn die Gefahr besteht, dass sie sich die Handflächen verbrennt. Sie schläft in einer Notunterkunft im Val-de-Marne, man hat sie dort für vierzehn Tage aufgenommen. Jeden Tag ist sie um acht Uhr dreißig wieder draußen. Für den ganzen Tag. Sie muss die Zeit totschlagen. Gehen, damit sie nicht friert. Eine geschützte Stelle finden, um sich hinzusetzen. Ganz Paris durchqueren, um eine warme Mahlzeit zu bekommen. Eine Fahrkarte lösen. Warten. Wieder weggehen. Vor einem Geschäft oder in der Metro um Geld betteln. Wenn sie die Kraft hat. Die Kraft, bitte zu sagen. Sie muss bald eine andere Unterkunft finden. Das ist ihr Leben. Von Heim zu Heim ziehen. Möglichst lange aushalten. Die Fristen verlängern. Etwas zu essen auftreiben. Möglichst nicht auf der Straße schlafen. Sie hat versucht, Arbeit zu finden. In den Fastfood-Ketten, den Bars, den Restaurants, den Supermärkten. Doch ohne Adresse oder die Adresse eines Heims ist die Antwort immer dieselbe. Da ist nichts zu machen. Keine Anschrift, kein Job. Sie hat aufgegeben. Sie hätte nie gedacht, dass ihr Leben so beschissen verlaufen würde, als Kind wollte sie Friseuse werden, den Leuten die Haare waschen und färben und später einen eigenen Friseursalon aufmachen. Aber sie hat nichts gelernt, weder das noch sonst etwas, sie hat nichts gelernt. Ich weiß nicht, was ich tun soll, sagt sie, verstehst du, ich weiß es einfach nicht.

Sie schweigt einige Minuten lang, ihr Blick verliert sich im Vagen. Ich würde alles darum geben, meine Bücher, meine Lexika, meine Klamotten, meinen Computer, damit sie ein richtiges Leben hat, mit einem Bett, einer Wohnung und Eltern, die auf sie warten. Ich denke an

Gleichheit und Brüderlichkeit, an all die Sachen, die wir in der Schule lernen und die es nicht gibt. Man sollte den Leuten nicht einreden, sie könnten gleich sein, hier oder sonst wo. Meine Mutter hat recht. Das Leben ist ungerecht, mehr ist dazu nicht zu sagen. Meine Mutter weiß etwas, das man nicht wissen sollte. Und deshalb ist sie berufsunfähig, das steht in ihren Versicherungsunterlagen, sie weiß etwas, das sie am Leben hindert, etwas, das man erst wissen sollte, wenn man sehr alt ist. Man lernt, Unbekannte in Gleichungen auszurechnen, abstandsgleiche Geraden zu zeichnen und geometrische Lehrsätze zu beweisen, aber im echten Leben gibt es nichts einzusetzen, zu berechnen und zu erraten. Das ist wie mit dem Tod von Babys. Es ist ein Schmerz und weiter nichts. Ein großer Schmerz, der sich nicht in Wasser auflöst, auch nicht in Luft, eine Art fester Stoff, der allem standhält.

No sieht mich an, ihre Haut ist grau und trocken geworden wie die der anderen, bei ihrem Anblick ist mir, als wäre sie am Ende angekommen, am Ende dessen, was man ertragen kann, am Ende des menschlich Hinnehmbaren, mir ist, als könnte sie sich nie wieder aufrichten, als könnte sie nie wieder hübsch und sauber sein, und dennoch lächelt sie und sagt, ich freue mich, dich zu sehen.

Ich sehe ihre Lippen zittern, es dauert kaum eine Sekunde, sie senkt den Blick, und obwohl ich nicht immer an Gott glaube, bete ich in meinem Kopf mit aller Kraft, dass sie nicht weint, denn wenn sie zu weinen anfängt, fange ich auch an, und wenn ich einmal anfange, kann es Stunden dauern, es ist wie ein Damm, der unter dem Druck des aufgestauten Wassers bricht, eine Sintflut, eine Naturkatastrophe, und Weinen hilft sowieso nie. Sie schabt mit dem Löffelchen den Zucker vom Tassenboden, lehnt sich in ihrem Stuhl zurück, sie hat es überwunden, ich sehe es an der Art, wie sie die Zähne zusammenbeißt, ich kenne sie.

»Und wie war dein Referat?«

Ich erzähle ihr, wie sehr ich mich vor der ganzen Klasse gefürchtet habe, wie meine Stimme anfangs gezittert hat und danach dann gar nicht mehr, denn es war, als wäre sie bei mir gewesen, als hätte sie mir die nötige Kraft gegeben, und dann die Erleichterung, als es vorbei war, der Applaus und all das.

»Und Lucas, du weißt schon, der Junge, von dem ich dir erzählt habe, also er hat mich mindestens zweimal eingeladen, nach der Schule mit zu ihm zu gehen, und außerdem will er, dass ich mit ihm auf die Schlittschuhbahn gehe, aber jedes Mal drücke ich mich, ich weiß irgendwie nicht, was ich tun soll.«

Sie mag es, wenn ich ihr Geschichten erzähle, sie ist wie ein ganz kleines Mädchen, ich merke genau, dass sie wirklich zuhört, vielleicht weil es sie an die Zeit erinnert, als sie noch zur Schule ging, ihre Augen glänzen, also rede ich, ich erzähle ihr von Lucas, dass er zweimal sitzengeblieben ist, dass er Opinel-Messer sammelt, schwarzes Haar hat und eine Narbe über dem Mund, eine weiße Narbe, die schräg zu seiner Lippe hinunter verläuft, ich erzähle von seiner Stofftasche mit den Marker-Aufschriften, die ich nicht verstehe, von seiner Frechheit in der Schule, von seinen heftigen Ausbrüchen und von dem Tag, an dem er alles auf den Boden geworfen hat, die Bücher, den Tisch, die Stifte und alles, und wie er dann den Klassenraum verlassen hat, wie ein König, ohne sich noch einmal umzusehen. Ich spreche über Lucas, über seine siebzehn Jahre, über seinen Körper, der so schwer wirkt, so dicht, und über seine Art, mich anzusehen, als wäre ich eine verirrte Ameise, über seine leeren Aufgabenblätter und meine hervorragenden Noten, seine drei Tage Ausschluss vom Unterricht und meine als Beispiel hingestellten Hausaufgaben, seine Freundlichkeit mir gegenüber, obwohl ich doch das absolute Gegenteil von ihm bin.

»Und du, warst du schon mal in einen Jungen verliebt?«

»Hm ja, als ich etwa in deinem Alter war. Ich war auf einem Internat in Frenouville. Wir waren nicht in derselben Klasse, aber abends haben wir uns getroffen. Statt in den Hausaufgabenraum zu gehen, trieben wir uns draußen rum und setzten uns unter die Bäume, sogar im Winter.«

»Wie hieß er?«

»Loïc.«

»Und dann?«

»Was, dann?«

»Na … Was geschah dann?«

»Das erzähl ich dir ein andermal.«

Sie redet nicht gern. Es gibt immer einen Augenblick, an dem Schluss ist. Oft auf die gleiche Art: Nicht heute. Ein andermal.

»Warst du traurig deshalb?«
»Ein andermal, hab ich gesagt.«
»Ich wollte dich was fragen. Weißt du, in welche Richtung man die Zunge dreht, wenn man einen Jungen küsst?«
Erst macht sie große Augen, sehr, sehr große Augen. Und dann lacht sie. So habe ich sie noch nie lachen sehen. Da lache ich auch. Wenn ich mehr Geld hätte, würde ich den Kellner herbeiwinken und *Champagner!* rufen, ich würde in die Hände klatschen und Petit Fours kommen lassen, wie die auf der Hochzeit meiner älteren Cousine, Unmengen von Petit Fours, wir würden die Musik in der Brasserie auf volle Lautstärke stellen und auf den Tischen tanzen, wir würden alle zum Mitfeiern einladen, No würde sich auf der Toilette umziehen, sie würde ein schönes Kleid anziehen und hübsche Schuhe, wir würden die Türen schließen, um unsere Ruhe zu haben und alles dunkel zu machen, wir würden die Musik aufdrehen wie in dem Lied.
»Du stellst vielleicht Fragen! Beim Küssen gibt es keine vorgeschriebene Richtung, wir sind doch keine Waschmaschinen!«
Sie lacht noch ein wenig, und dann fragt sie mich, ob ich nicht ein Papiertaschentuch habe, ich gebe ihr das Päckchen.
Sie sieht auf die Uhr in der Brasserie und springt auf, in ihrem Heim muss man bis 19 Uhr zurück sein, sonst wird man nicht mehr eingelassen. Ich gebe ihr mein restliches Geld für die Metrokarte. Sie lehnt es nicht ab.
Wir gehen zusammen zur Metro hinunter, unten an der

Rolltreppe müssen wir uns trennen. Ich sage, ich fände es schön, wenn du mich noch einmal besuchen kämst, wenn du kannst. Es ist nicht mehr so schwer zu sagen. Sie lächelt.
»In Ordnung.«
»Versprichst du's?«
Sie streicht mir übers Haar, rasch, wie man es bei Kindern macht.

Und wenn No zu uns käme? Und wenn wir beschlössen, uns gegen das zu stellen, was man tut oder nicht tut, wenn wir beschlössen, dass *die Dinge* anders sein können, auch wenn es sehr schwierig ist und immer schwieriger, als man denkt. Das ist die Lösung. Die einzige. Bei uns hätte sie ein Bett, einen Platz am Tisch, einen Schrank für ihre Sachen, eine Dusche. Bei uns hätte sie eine Anschrift. Sie könnte wieder nach einer Stelle suchen. All die Zeit über ist Thaïs' Zimmer leer geblieben. Mein Vater hat schließlich das Kinderbett, die Anziehsachen und die Kommode weggeschenkt. Später hat er ein Sofa und einen Tisch hineingestellt. Von Zeit zu Zeit zieht er sich dorthin zurück. Wenn er eine Arbeit fertig machen muss. Oder wenn er allein sein will. Meine Mutter betritt das Zimmer nicht, jedenfalls nicht in unserer Anwesenheit. Sie hat nichts angerührt, mein Vater hat sich um alles gekümmert. Wenn wir von dem Zimmer sprechen, sagen wir nicht mehr *Zimmer*, sondern *Arbeitszimmer*. Die Tür ist immer geschlossen.

Ich warte einige Tage, bis ich die Sache angehe. Ich warte auf einen günstigen Augenblick. Es gibt gar nicht so viele Möglichkeiten, die Dinge darzulegen. Einerseits gibt es die Wahrheit. Wie sie ist. Andererseits eine Inszenierung, eine List, um glauben zu machen, No sei nicht, was sie ist. Ich denke mir verschiedene Varianten aus: No ist die Cousine einer Klassenkameradin, sie kommt vom Land und sucht eine Au-pair-Stelle, um ihre Ausbildung abschließen zu können. No ist Assistentin an unserer Schule und sucht ein Zimmer. No ist gerade von einem langen Auslandsaufenthalt zurückgekehrt. Ihre Eltern sind mit meiner Französischlehrerin Madame Rivery befreundet. No ist die Tochter des Direktors, und der hat sie rausgeschmissen, weil sie die Prüfungen nicht bestanden hat. Aber wie ich die Sache auch drehe und wende, ich stoße immer wieder auf dasselbe Problem: In dem Zustand, den No jetzt erreicht hat, kann sie keine Rolle mehr spielen. Ein heißes Bad und neue Kleider werden nicht reichen.

Eines Abends nehme ich mein Herz in beide Hände, wir sitzen beim Abendessen, meine Mutter hat sich ausnahmsweise nicht ins Bett gelegt, kaum dass es dunkel geworden ist, sie isst mit uns, jetzt oder nie. Ich sage gleich, was ich vorhabe. Ich habe eine große Bitte an sie. Sie dürfen mich nicht unterbrechen. Unter keinen Umständen. Sie müssen mich ausreden lassen. Ich habe eine dreiteilige Argumentation vorbereitet, wie Madame Rivery es uns beigebracht hat, mit einer Einleitung vorneweg, um das Thema vorzustellen, und einer Schlussfolgerung auf zwei Ebenen (man muss eine Frage stellen, die zu einer neuen Erörterung, einer neuen Perspektive führt).
In groben Linien sieht der Plan so aus:
Einleitung: Ich habe ein achtzehnjähriges Mädchen kennengelernt, das auf der Straße und in Unterkünften lebt.

Sie braucht Hilfe (gleich aufs Wesentliche kommen, ohne Umschweife und Verbrämungen).
Römisch I (These): Sie könnte bei uns wohnen, bis sie wieder bei Kräften ist und Arbeit gefunden hat (ich habe konkrete Argumente und praktische Vorschläge in petto). Sie würde im *Arbeitszimmer* schlafen und sich an den im Haushalt anfallenden Arbeiten beteiligen.
Römisch II (Antithese: Man führt selbst die Gegenargumente an, um sie desto besser entkräften zu können): Ja, gewiss, es gibt Institutionen, die auf dergleichen spezialisiert sind, es gibt Sozialarbeiterinnen, es ist nicht unbedingt unsere Aufgabe, eine Person in solcher Lage aufzunehmen, es ist *komplizierter, als man denkt,* wir kennen sie nicht, wir wissen nicht, mit wem wir es zu tun haben.
Römisch III (Synthese): In Frankreich gibt es mehr als zweihunderttausend Obdachlose, die sozialen Dienste sind dem nicht gewachsen. Allnächtlich schlafen Tausende draußen. Es ist kalt. Und in jedem Winter sterben Menschen auf der Straße.
Schlussfolgerung: Was hindert uns an einem Versuch? Was befürchten wir, warum haben wir den Kampf aufgegeben? (Madame Rivery sagt mir oft, meine Schlussfolgerungen seien ein wenig pathetisch, aber manchmal heiligt der Zweck die Mittel.)
Ich habe meinen Vortrag in ein Heft geschrieben und die wesentlichen Punkte rot unterstrichen. Und ich habe vorm Badezimmerspiegel geübt, mit ruhiger Stimme und gemäßigten Handbewegungen.
Wir sitzen vor einer Pizza von Picard, deren Verpackung ich schon sichergestellt habe, die Vorhänge sind zugezo-

gen, die Stehlampe des Wohnzimmers umgibt unsere Gesichter mit einem orangefarbenen Schein. Wir sind in einer Pariser Wohnung im fünften Stock, bei geschlossenen Fenstern, wir haben ein Obdach, sind geborgen. Ich fange an zu sprechen und verliere sehr bald den Faden, ich vergesse den Plan, ich lasse mich von meinem Wunsch, sie zu überzeugen, fortreißen, von meinem Wunsch, No bei uns zu sehen, auf einem unserer Stühle, auf unserem Sofa, wie sie aus unseren Tassen trinkt, von unseren Tellern isst, ich weiß auch nicht warum, aber ich denke an Goldlöckchen im Bärenhaus, obwohl No schwarzes glattes Haar hat, ich denke an das Buch, das mir meine Mutter vorlas, als ich klein war, Goldlöckchen hat alles kaputtgemacht, Tasse, Stuhl und Bettchen, das Bild taucht immer wieder auf, ich fürchte, mir könnten die Worte ausgehen, also rede ich ganz schnell, ohne irgendetwas richtig auszuführen, ich rede lange, ich glaube, ich erzähle, wie ich No kennengelernt habe, das bisschen, was ich von ihr weiß, ich rede über ihr Gesicht, ihre Hände, den schlingernden Rollenkoffer, über ihr seltenes Lächeln. Sie hören mir bis zum Schluss zu. Dann kommt nichts. Lange nichts.

Und dann die Stimme meiner Mutter, die noch seltener zu erleben ist als Nos Lächeln, ihre plötzlich helle Stimme.

»Wir sollten sie kennenlernen.«

Mein Vater hebt verblüfft den Kopf. Die Pizza ist kalt, ich forme aus dem Bissen in meinem Mund eine speichelgetränkte Kugel und zähle bis zehn, bevor ich sie herunterschlucke.

In Ordnung, sagt mein Vater, wir sollten sie kennenlernen, wiederholt er.

Also können *die Dinge* anders sein, also kann das unendlich Kleine groß werden.

Ich wartete auf No, jeden Abend nach der Schule hielt ich nach ihr Ausschau und zögerte den Moment hinaus, in dem ich die Metro nach Hause nehmen würde, ich spähte nach ihrer aus dem Gleichgewicht geratenen Gestalt, nach ihrem schleppenden Gang. Ich gab die Hoffnung nicht auf.
Heute Abend ist sie da. Sie hatte es versprochen. Die Januarkälte schneidet in die Haut. Sie hat die Notunterkunft verlassen, in der sie geschlafen hatte, man hat ihr andere Adressen und Empfehlungsschreiben gegeben, doch sie muss warten, bis ein Platz frei wird. Sie ist zu ihrem Kumpel in der Rue de Charenton zurückgekehrt, er hat sie für mehrere Nächte aufgenommen, doch neben ihnen haben sich andere mit ihren Zelten niedergelassen, weil die Ecke gut geschützt ist, und dann haben sie angefangen, Dummheiten zu machen, zu allen möglichen Zeiten Radio gehört und sie ficken wollen. In einem Zug erzählt sie mir all das, da auf dem Bürgersteig, sie sagt *mich ficken,* wie sie es zu einem Erwachsenen gesagt hätte, und ich bin stolz darauf, dass sie mich nicht wie ein Kind behandelt, denn ich weiß genau, was das Wort bedeutet, und kenne den Unterschied zu anderen Wörtern, die dasselbe bedeuten, ich weiß, dass die Wörter ihr eigenes Gewicht und ihre Nuancen haben.
Ich kann sie in diesem Zustand nicht mit nach Hause nehmen. Sie muss sich waschen und andere Kleidung

auftreiben. Um diese Zeit ist meine Mutter in der Wohnung, und No muss wenigstens halbwegs präsentabel sein. Denn da bin ich mir sicher, selbst wenn meine Eltern ja gesagt haben, ein erster Eindruck kann alles verderben. Und deshalb geht alles sehr schnell, trotz allem, was mich sonst auf Distanz hält, wenn etwas getan, etwas in Angriff genommen werden muss, denn oft strömen die Worte und Bilder in meinen Kopf und lähmen mich, doch diesmal muss alles in eine Richtung gehen, ohne Kollisionen, ohne Verzettelung, jetzt muss ein Schritt auf den anderen folgen, ohne dass ich mich lange frage, ob man lieber mit dem linken oder dem rechten Fuß anfangen sollte. (Einmal hat Madame Cortance, die Psychologin, meinem Vater gesagt, intellektuell frühreife Kinder hätten eine große Fähigkeit, Konzepte zu entwickeln und die Welt zu erfassen, doch in relativ einfachen Situationen seien sie unter Umständen völlig hilflos. Das erschien mir wie eine schwere Krankheit, eine starke Behinderung, die ich nie würde überwinden können.)
Ich sage No, sie solle auf mich warten, sich nicht von der Stelle rühren, ich glaube, ich spreche zum ersten Mal in einem solchen Ton mit ihr, so kategorisch. Sie hat keine Kraft mehr. Nicht mehr die Kraft, zu protestieren, nein zu sagen. Ich überquere noch einmal die Straße, packe Lucas am Arm, unter normalen Umständen würde ich so etwas niemals tun, aber manchmal zwingen die Umstände einen eben, vor einigen Tagen hat er mir erzählt, er lebe fast allein in einer Fünfzimmerwohnung. Sein Vater ist nach Brasilien gezogen und schickt Geld. Seine Mutter übernachtet selten zu Hause, sie hinterlässt ihm

Botschaften auf gelben Klebezettelchen an der Wohnungstür, sie reagiert nicht, wenn die Lehrer sie zu einem Gespräch bitten, und stellt nur ein oder zwei Mal im Monat, wenn der Kühlschrank leer ist, einen Scheck aus. Die Putzfrau kommt einmal die Woche und fragt ihn besorgt, ob er auch ordentlich esse.

Ich erkläre ihm die Lage in zwei Sätzen, es muss jetzt schnell gehen, auch wenn ich stottere, auch wenn ich rote Flecken am Hals habe, ich darf keine Zeit verlieren. Und jetzt verstehe ich, warum ich ihn gefragt habe, ihn und nur ihn. Er wirft einen Blick auf No und sagt: Kommt mit, Mädels.

Sie lässt sich nicht lange bitten und geht mit. Als wir in Lucas' Wohnung ankommen, erbricht sie sich auf der Toilette, sie habe Medikamente genommen, sagt sie, was für welche, wage ich nicht zu fragen. Lucas holt aus einem Schrank ein tadellos gebügeltes und gefaltetes Badetuch, wie man sie aus diesen Weichspüler-Werbespots kennt, in denen ein idiotischer Teddybär aus seinem Leben erzählt, wahrscheinlich hat sie schon lange kein so flauschiges Handtuch mehr gesehen, sie protestiert nicht, als ich sie in den Flur schiebe, ich lasse die Badewanne volllaufen, es geht immer noch alles so schnell in meinem Kopf, ein perfekter Ablauf, den Entscheidungen folgen die Taten, ich rufe meine Mutter an und sage ihr, No und ich würden in einer Stunde kommen, ich frage Lucas, ob er in den Schränken seiner Mutter etwas Passendes für No finden könne. Er steckt sich eine Zigarette an, imitiert eine Gangster-Visage und macht eine Handbewegung, die bedeutet: Ich kümmer mich drum.

Die Wanne ist voll. Ich helfe No beim Ausziehen, ich atme durch den Mund wegen des Geruchs, ich sehe zu, wie sie ins heiße Wasser steigt, sie hat einen Knabenkörper, schmale Hüften, magere Arme, winzige Brüste, ihre Haare treiben wie braune Algen, auf dem Rücken und unter ihrer Brust sind die Rippen zu erahnen, die Wärme des Badewassers lässt Farbe in ihre Wangen steigen, ihre Haut ist so zart, dass man die Adern sehen kann. Ich bleibe bei ihr, weil ich Angst habe, sie könnte ertrinken. Ich nehme einen Waschlappen und wasche ihr mit viel Seife die Schultern, den Hals, die Beine und die Füße, ich bitte sie aufzustehen, sich wieder zu setzen, mir einen Fuß zu geben, dann den anderen, sie gehorcht ohne ein Wort. Ich halte ihr den Waschlappen für den noch zu waschenden Rest hin und drehe mich um, ich höre, wie sie noch einmal aufsteht und dann wieder ins Wasser eintaucht. Ich gebe ihr das große Badetuch, sie stützt sich auf mich, als sie aus der Wanne klettert. Zwischen den Seifenresten auf der Wasseroberfläche schwimmen unzählige Schmutzpartikelchen.
Lucas hat die Kleidungsstücke auf seinem Bett bereitgelegt. Er hat sich verdrückt und sitzt jetzt vor dem Fernseher. Ich helfe No beim Anziehen und gehe dann ins Bad zurück, um die Badewanne mit Meister Proper Tannennadel zu putzen, wir haben das gleiche zu Hause, es blitzt und funkelt fast so wie auf dem Etikett. Jeans und Pulli passen ihr perfekt, ich frage mich, wie eine so winzige Frau einen so großen Kerl wie Lucas zur Welt bringen konnte, er bietet uns etwas zu trinken an, er wagt es nicht, No anzublicken. Ich danke ihm für seine Hilfe.

Wir müssen los. Ich weiß nicht, was sie geschluckt hat, sie ist da, ohne da zu sein, sie protestiert immer noch nicht, als ich ihr erkläre, dass wir jetzt zu mir nach Hause gehen, meine Eltern seien einverstanden und erwarteten uns. Sie sieht mich einige Sekunden an, als brauche die Information so lange, um bis in ihr Gehirn vorzudringen, dann folgt sie mir. Während wir auf den Aufzug warten, dreht sie sich zu Lucas um und dankt ihm, kommt wieder, wann immer ihr wollt, sagt er. Ich ziehe Nos Koffer über die Straße, die Rollen funktionieren nicht mehr, es macht einen Heidenlärm, doch das ist mir egal.
Wir laufen bis zu unserem Haus, unten im Eingang sehe ich sie ein letztes Mal an, die Farbe ist wieder aus den Wangen gewichen, ihr Haar ist noch feucht.

Ich klingele, bevor ich die Wohnungstür aufschließe. Ich weiß, ich kann sie jederzeit verlieren.

Mein Vater und meine Mutter kamen aus der Küche, um uns in Empfang zu nehmen, ich machte sie miteinander bekannt, meine Zehen hatten sich in den Schuhen völlig verkrampft. Mein Vater zögerte kurz, fast hätte er ihr die Hand geschüttelt, dann trat er näher, um sie auf die Wange zu küssen, No wich zurück, sie versuchte zu lächeln, aber man sah deutlich, dass es schwierig war.

Wir aßen alle vier zu Abend, meine Mutter hatte ein Zucchinigratin gemacht, zum ersten Mal seit langer Zeit saß sie nicht im Morgenmantel da, sie hatte ihren buntgestreiften Pullover und eine schwarze Hose angezogen. Sie stellten keine Fragen, sie verhielten sich so, als wäre all das das Natürlichste auf der Welt, meine Mutter blieb bis zum Ende der Mahlzeit bei uns. Zum ersten Mal seit langer Zeit schien mir, dass sie wirklich da war, nicht nur wie eine Statistin, sie war ganz und gar da. Wir sprachen über alles Mögliche, mein Vater erwähnte die Dienstreise nach China, die er bald machen würde, und erzählte von einer Sendung über Schanghai, die er im Fernsehen gesehen hatte. No hatte mit alldem wahrscheinlich nichts am Hut, weder mit Shanghai noch mit dem Hund der Hausmeisterin, der in dem Beet in unserem Hof andauernd nach imaginären Knochen gräbt, noch mit dem Ablesen der Stromzähler, aber das war unwichtig. Wichtig war, dass sie sich wohlfühlte, dass sie sich nicht beobachtet fühlte. Und ausnahmsweise schien es zu funktionieren wie bei den Familienmahlzeiten in den Werbespots für Fertiggerichte, wo die Gespräche ohne falschen Ton, ohne jedes Stocken dahinfließen, es gibt immer jemanden, der im rechten Moment etwas einwirft, niemand wirkt müde oder sorgenbeladen, es entsteht kein Schweigen.

No dürfte vierzig Kilo wiegen, sie ist achtzehn und sieht wie höchstens fünfzehn aus, ihre Hände zittern, wenn sie das Glas zum Mund führt, ihre Fingernägel sind bis ins Fleisch abgekaut, die Haare fallen ihr in die Augen, ihre Bewegungen sind ungeschickt. Sie gibt sich Mühe, aufrecht zu bleiben. Sitzen zu bleiben. Einfach durchzuhalten. Wie lange mag sie nicht mehr in einer Wohnung gegessen haben, ohne Eile, ohne dem Nächsten den Platz räumen zu müssen, wie lange hat sie sich keine Stoffserviette mehr in den Schoß gelegt und frisches Gemüse gegessen? Nur das zählt. Der Rest kann warten.
Nach dem Essen klappte mein Vater das Sofa im Arbeitszimmer aus. Er holte Bettwäsche und eine dicke Decke aus dem Wandschrank im Flur. Er kam noch ein letztes Mal zu uns zurück und wandte sich an No, um ihr zu sagen, dass ihr Bett fertig sei.
Sie sagte danke und blickte zu Boden.

Ich weiß, manchmal ist es besser, so zu bleiben, in seinem Innern und verschlossen. Denn ein Blick kann genügen, und man gerät ins Schwanken, es muss nur jemand die Hand ausstrecken, und man spürt plötzlich, wie schwach man ist, wie verwundbar, und dann bricht alles zusammen wie eine Streichholzpyramide.

Es gab kein Verhör, kein Misstrauen, keinen Zweifel, keinen Rückzieher. Ich bin stolz auf meine Eltern. Sie hatten keine Angst. Sie haben getan, was zu tun war.

No liegt im Bett, ich mache das Licht aus, ich schließe die Tür des Arbeitszimmers, für sie beginnt ein neues Leben, da bin ich sicher, ein Leben mit Obdach, und ich werde immer da sein, an ihrer Seite, ich will nicht, dass sie sich je wieder ganz allein fühlt, sie soll fühlen, dass ich bei ihr bin.

Sie bleibt in ihrem Zimmer. Bei geschlossener Tür. Meine Mutter hat ihr ein paar Kleidungsstücke geliehen, mein Vater hat seine Sachen aus dem Arbeitszimmer geräumt, damit sie sich ihren Bereich einrichten kann. Sie kommt nur heraus, wenn ich da bin, und schläft praktisch den ganzen Tag. Sie lässt die Vorhänge offen, legt sich vollständig angezogen aufs Bett, mit am Körper entlang ausgestreckten Armen und offenen Handflächen. Ich klopfe leise an die Tür, trete auf Zehenspitzen ein und treffe sie in dieser seltsamen Haltung an, jedes Mal denke ich dann an Dornröschen, das reglos daliegt wie unter Glas und hundert Jahre lang schlafen muss, das blaue Kleid ohne ein Fältchen auf dem Bett ausgebreitet, das Gesicht vom glatten Haar umrahmt. Doch No erwacht, ihre Augen glänzen vom Schlaf, ungläubig lächelnd rekelt sie sich, fragt mich nach der Schule, der Klasse, ich erzähle, und dann gehe ich wieder, um meine Hausaufgaben zu machen, ich schließe die Tür hinter mir.
Später hole ich sie zum Abendessen, sie leert hastig ihren Teller, hilft beim Abräumen, wagt einen kurzen Rundgang durch die Wohnung und legt sich dann wieder hin.
Sie erholt sich.
Wer sie sieht, könnte meinen, sie komme von einer langen Reise zurück, sie habe die Wüste und die Ozeane

durchquert und sei barfuß über Bergpfade, am Rande der Landstraßen und durch den Staub unbekannter Länder gelaufen. Sie kehrt von weit her zurück.
Sie kehrt aus unsichtbaren Gebieten zurück, die doch ganz in unserer Nähe liegen.
Wochenlang hat sie Schlange gestanden, um zu essen, ihre Kleider zu waschen, mal hier, mal dort ein Bett zu ergattern. Wochenlang hat sie zum Schlafen die Schuhe unter dem Kopfkissen versteckt, ihre Taschen zwischen sich und eine Wand geklemmt und ihr Geld und ihren Ausweis in den Slip gesteckt, damit man sie nicht bestiehlt. Sie war auf der Hut, während sie schlief, in Bettwäsche aus Papier, zugedeckt mit dem, was gerade da war, manchmal auch nur mit ihrem Blouson. Wochenlang hat sie frühmorgens auf der Straße gestanden, ohne Plan, ohne Perspektive. Ganze Tage ist sie umhergeirrt in dieser Parallelwelt, die doch unsere Welt ist, immer auf der Suche nach einem Ort, von dem man sie nicht vertreiben würde, einem Ort zum Sitzen oder Schlafen.

Sie versucht, möglichst wenig Platz in Anspruch zu nehmen und möglichst wenig Lärm zu machen, morgens duscht sie rasch und trinkt den Kaffee aus, den mein Vater warmgestellt hat, sie macht kein Licht in der Küche, auf leisen Sohlen streicht sie an den Wänden entlang. Sie antwortet einsilbig und senkt den Blick, außer wenn ich sie ansehe. Einmal, als ich mich neben sie auf ihr Bett setzte, wandte sie sich mir zu und fragte: Jetzt sind wir beide also zusammen? Ich sagte ja, ich wusste nicht recht, was das für sie bedeutete, zusammen sein, das fragt sie oft:

Wir sind doch zusammen, Lou, oder? Jetzt weiß ich es. Es bedeutet, dass uns niemals etwas trennen kann, es ist wie ein Pakt zwischen uns, ein Pakt, der keiner Worte bedarf. Nachts steht sie auf, geht durch die Wohnung, lässt Wasser laufen, manchmal habe ich den Eindruck, dass sie mehrere Stunden lang wach bleibt, ich höre die Tür zum Gang, ihren leichten Schritt auf dem Teppichboden. Eines Nachts überraschte ich sie, sie stand dicht an dem großen Wohnzimmerfenster und betrachtete vom fünften Stock aus die riesige Stadt, diese unglaubliche Dunkelheit, die roten und weißen Lichter der Autos, ihre Bahnen, den Schein der Straßenlampen und der anderen Lichtpunkte, die man in der Ferne tanzen sah.

Lucas erwartet mich vor dem Schultor. Er trägt seine Lederjacke und ein schwarzes Stirnband, damit ihm das Haar nicht in die Augen fällt, sein Hemd ist länger als der Pullover, er ist riesig.
»Na, Krümel, wie läuft's?«
»Sie kommt selten aus ihrem Zimmer, aber ich glaube, sie bleibt.«
»Und deine Eltern?«
»Sie sind einverstanden. Sie wird wieder zu Kräften kommen, und dann, wenn es ihr bessergeht, kann sie Arbeit suchen.«
»Manche Leute sagen, Menschen, die auf der Straße leben, wären kaputt. Nach einiger Zeit könnten sie nicht mehr normal leben.«
»Es ist mir egal, was man sagt.«
»Ich weiß, aber …«

»Genau, das ist das Problem, die *Abers.* Wegen der *Abers* tut man nie was.«
»Du bist ganz klein, und du bist ganz groß, Krümel, und du hast vollkommen recht.«

Wir gehen in den Mathe-Raum, die anderen sehen uns an, vor allem Axelle und Léa, Lucas setzt sich neben mich in die zweite Reihe.
Nach den Ferien hat er seinen Platz in der letzten Reihe aufgegeben, um mir Gesellschaft zu leisten. Anfangs haben die Lehrer mit ihrer Überraschung nicht hinterm Berg gehalten, Lucas musste alle möglichen Vorhaltungen und Warnungen über sich ergehen lassen, na so was, Monsieur Muller, da sieht man Sie ja in nützlicher Nachbarschaft, vielleicht färbt etwas von Mademoiselle Bertignacs Arbeitshaltung auf Sie ab, nutzen Sie die Chance und legen Sie sich ein entsprechendes Benehmen zu, aber lassen Sie sich nicht von den Arbeiten Ihrer Nachbarin inspirieren, Sie werden sehen, dass die Luft hier auch nicht schlechter ist als in der letzten Reihe.
Doch Lucas hat deshalb keineswegs seine Gewohnheiten geändert. Er schreibt im Unterricht selten mit, er vergisst, sein Handy auszuschalten, hängt krumm auf seinem Stuhl, streckt demonstrativ seine Beine in den Gang, putzt sich geräuschvoll die Nase. Aber er kippt nie mehr den Tisch um.

Die anderen behandeln mich seither mit einer Art Respekt, selbst Axelle und Léa grüßen mich und lächeln mir zu. Ich höre kein ersticktes Lachen und Tuscheln mehr,

wenn ich auf eine Frage antworten muss, die vorher niemand beantworten konnte, ich bemerke keine Blickwechsel mehr, wenn ich als Erste meinen Test fertig habe und der Lehrer mein Heft einsammelt.
Er ist der König, der Lässige, der Rebell, ich bin die Klassenbeste, gelehrsam und still. Er ist der Älteste, ich bin die Jüngste, er ist der Größte, und ich bin winzig.
Abends nehmen wir gemeinsam die Metro oder den Bus, er bringt mich bis vor das Haus, in dem wir wohnen, ich will nicht trödeln, wegen No. Für sie gibt er mir Comics, Schokolade und eine Schachtel mit ein paar Zigaretten, die sie am offenen Fenster raucht. Er fragt mich, was sie macht, sorgt sich um ihre Gesundheit, sagt, wir sollen ihn besuchen, wenn es ihr bessergeht.
Wir teilen ein Geheimnis.

Seit einigen Tagen beginnt sie, das Zimmer zu verlassen, und interessiert sich für das, was bei uns vor sich geht. Sie bietet meiner Mutter an, einkaufen zu gehen, den Müll runterzubringen und beim Kochen zu helfen. Sie lässt ihre Tür offen, macht ihr Bett, räumt die Küche auf, saugt Staub und sieht sich mit uns zusammen die Fußballspiele im Fernsehen an. Tagsüber geht sie manchmal aus dem Haus, sie ist aber immer vor neunzehn Uhr zurück.
Wenn ich nach der Schule zu Hause bin, kommt sie zu mir, sie legt sich auf den Teppich, während ich Hausaufgaben mache, und blättert in einer Zeitschrift oder in einem Comic, oder aber sie liegt einfach mit weit offenen Augen unter den phosphoreszierenden Sternen des künstlichen Himmels an meiner Zimmerdecke, ich beobachte, wie sich ihre Brust im Rhythmus ihres Atmens hebt, ich versuche, auf ihrem Gesicht die Wege ihrer Gedanken zu verfolgen, aber es ist nichts zu sehen, nie.
Bei Tisch beobachtet sie, wie ich esse, ich erkenne deutlich, dass sie versucht, nicht aus dem Rahmen zu fallen, sie stützt ihre Ellbogen nicht auf den Tisch, sie hält sich gerade, sie versucht, mir an den Augen abzulesen, ob ich es richtig finde, ich bin sicher, niemand hat ihr je beigebracht, wie man Messer und Gabel hält, dass man die Sauce nicht mit dem Brot aufstippt, den Salat nicht schneidet und all das, dabei bin ich selbst nicht gerade

vorbildlich darin, obwohl mir meine Großmutter unbedingt gutes Benehmen beibringen will, wenn ich in den Ferien bei ihr bin. Neulich habe ich No die herrliche Geschichte erzählt, die mir letzten Sommer bei meiner Tante Yvonne passiert ist, sie ist die Schwester meiner Großmutter und hat den Sohn eines echten Herzogs geheiratet und so. Meine Großmutter hat mich zum Tee dorthin mitgenommen, drei Tage lang hat sie mich mit Ratschlägen überhäuft, sie hat mir extra ein schreckliches Kleid gekauft, im Auto gab sie mir die letzten Anweisungen, und schließlich kamen wir vor dem schönen Haus an. Yvonne hatte kleine Madeleines und Mandelplätzchen gebacken. Ich trank meinen Tee mit abgespreiztem kleinen Finger, was meiner Großmutter nicht besonders zu gefallen schien, aber ich saß, wie sie es mir gezeigt hatte, auf der Kante des Samtsofas und hielt die Beine eng nebeneinander, jedoch nicht übergeschlagen, es war ganz schön schwierig, die Plätzchen mit Tasse und Untertasse in der Hand zu essen, ohne auf den Teppich zu krümeln. Irgendwann wollte ich (wie meine Großmutter gesagt hätte) meinen kleinen Tribut zollen, es war nicht leicht, bei einer so feierlichen Angelegenheit das Wort zu ergreifen, aber ich fasste mir ein Herz. Ich wollte sagen: Tante Yvonne, das ist köstlich. Ich weiß auch nicht, was passiert ist, eine Art Kurzschluss im Gehirn, ich holte tief Luft und sagte dann ruhig und sehr deutlich:

»Tante Yvonne, das ist e-kel-haft.«

No hat so gelacht, als ich es ihr erzählte. Sie wollte wissen, ob ich ausgeschimpft worden bin. Doch Tante

Yvonne hatte erkannt, dass es eine Fehlschaltung gewesen war oder an der Aufregung gelegen hatte, sie lachte nur ein bisschen, es klang wie ein Hüsteln.

Es ist, als wäre No immer schon da gewesen. Wir sehen, wie sie von Tag zu Tag kräftiger wird. Wir sehen, wie sich ihr Gesicht verändert. Und auch ihr Gang. Wie sie den Kopf hebt, sich aufrechter hält, ihren Blick auf etwas verweilen lässt.
Wir hören sie beim Fernsehen lachen und in der Küche die Lieder mitsummen, die im Radio gesendet werden.
No ist bei uns. Draußen herrscht nun Winter, die Leute beeilen sich auf der Straße, sie lassen die schweren Eingangstüren hinter sich zufallen, tippen Codes ein, drücken auf die Knöpfe der Sprechanlagen, stecken ihren Schlüssel ins Schloss.
Draußen schlafen Frauen und Männer, in ihre Schlafsäcke vermummt, unter Pappkartons, an den Lüftungsschächten der Metro, unter Brücken, auf dem Boden, draußen schlafen Frauen und Männer in den Winkeln einer Stadt, aus der sie ausgeschlossen sind. Ich weiß, dass sie manchmal daran denkt, aber wir sprechen nie darüber. Abends überrasche ich sie manchmal am Fenster, sie hat die Stirn an die Scheibe gelehnt und betrachtet die Nacht, und ich weiß nicht, was ihr durch den Kopf geht, ich weiß nichts.

Axelle Vernoux hat sich das Haar sehr kurz schneiden lassen, mit einer längeren und helleren Strähne vorn, sie ist die Attraktion des Tages, lachend steht sie mit Léa unter dem Vordach, sie sind von Jungs umringt, der Himmel ist blau, die Kälte eisig. Es wäre einfacher, wenn ich wäre wie sie, wenn ich hautenge Jeans trüge, Glücksbringer-Armbänder, BHs und so. Nun gut.

Wir haben uns still auf unsere Plätze gesetzt. Monsieur Marin ruft jeden Namen einzeln auf und macht nach einem prüfenden Blick ein Kreuzchen. Er kommt zum Schluss.
»Pedrazas … anwesend, Réviller … anwesend, Vandenbergue … anwesend, Vernoux … fehlt.«
Axelle zeigt auf.
»Aber Monsieur Marin, ich bin doch da!«
Er betrachtet sie mit leicht angewidertem Gesichtsausdruck.
»Ich kenne Sie nicht.«
Sie zögert kurz, ihre Stimme zittert.
»Ich bin's, Axelle Vernoux.«
»Was ist denn mit Ihnen passiert?«

Ein Beben geht durch die Klasse. Tränen steigen ihr in die Augen, sie senkt den Kopf. Ich hasse es, wenn man Menschen demütigt, einfach so, ohne jeden Grund. Ich lehne mich ein wenig in Lucas' Richtung und sage, das ist ekelhaft, und diesmal will ich genau das sagen.

»Mademoiselle Bertignac, haben Sie uns etwas mitzuteilen?«

Eine Zehntelsekunde zum Nachdenken. Mehr nicht. Eine Zehntelsekunde zum Entscheiden. Ich bin weder mutig noch kühn, ein *Zehn-Minuten-Zurückspul*-Knopf wär mir jetzt eine echte Hilfe.

»Ich sagte: Das ist ekelhaft. Sie hatten kein Recht dazu.«

»Sie können sich im Aufgabenraum weiter zur Richterin aufschwingen, Mademoiselle Bertignac. Packen Sie Ihre Sachen.«

Einen Abgang darf man sich nicht verderben. Das ist wirklich nicht der rechte Moment, sich irgendwie zu verheddern.

Ich räume alles zusammen und zähle meine Schritte bis zur Tür, sechsundzwanzig, siebenundzwanzig, uff, jetzt bin ich draußen, ich lebe noch, ich bin viel größer, als man auf den ersten Blick meint.

Nach dem Unterricht hält mich Axelle am Arm zurück und sagt danke, es dauert nur eine Sekunde, aber sie reicht, alles steht in ihren Augen.

No erwartet mich vor dem Schultor, wir wollen heute zu Lucas gehen, sie trägt einen grünen Pullover, den meine Mutter ihr geliehen hat, und hat ihr Haar mit einer Spange zum Pferdeschwanz zusammengenommen, ihre Haut ist wieder glatt geworden, sie ist hübsch. Lucas kommt zu uns und beglückwünscht mich zu meinem Abgang, er umarmt No wie eine Freundin, das gibt mir einen kleinen Stich, und dann gehen wir alle drei zur Metro.

Überall Bilder, persische Teppiche, alte Möbel, das Wohnzimmer ist riesig, nichts ist dem Zufall überlassen, alles ist wunderschön, und doch wirkt jedes Zimmer verlassen, wie eine Filmkulisse, als wäre alles nur Attrappe. Eines Abends im letzten Jahr fand Lucas, als er aus der Schule nach Hause kam, einen Brief seines Vaters vor. Der hatte wochenlang seine Abreise vorbereitet, ohne ihm etwas zu sagen, und dann eines Morgens den Koffer zugeklappt, die Schlüssel in der Wohnung gelassen und die Tür hinter sich zugezogen. Lucas' Vater hat sich ins Flugzeug gesetzt und ist seither nicht zurückgekommen. In dem Brief stand, er bitte um Verzeihung und Lucas werde es später verstehen. Vor einigen Monaten hat Lucas' Mutter einen anderen Mann kennengelernt, Lucas hasst ihn, er gehört wohl zu den Typen, die sich nie entschuldigen, aus Prinzip nicht, und meinen, alle anderen seien Knallköpfe, mehrere Male wären die beiden fast aufeinander losgegangen, deshalb ist seine Mutter zu ihm nach Neuilly gezogen. Sie telefoniert mit Lucas und verbringt ab und zu ein Wochenende in der Wohnung. Sein Vater schickt Geld und Postkarten aus Brasilien. Lucas führt uns durch die Wohnung, No folgt ihm, sie stellt ihm Fragen, wie er das mit dem Essen regle, wie er ganz allein in einer so großen Wohnung leben könne, ob er nie Lust habe, auch dorthin zu fahren, nach Rio de Janeiro.

Lucas zeigt uns Fotos seines Vaters, aus sämtlichen Lebensphasen, ein Buddelschiff, das sie zusammen gebastelt haben, als er klein war, die japanischen Drucke, die er dagelassen hat, und seine Messersammlung. Es sind Dutzende, kleine, große, mittlere, Taschenmesser, Dolche, Springmesser aus aller Herren Länder, Kris-Messer, Messer aus Laguiole und Thiers, die Griffe liegen schwer in der Hand, die Klingen sind scharf geschliffen. No nimmt sie eins nach dem anderen heraus, spielt mit ihnen, streichelt über Holz, Elfenbein, Horn und Stahl. Ich sehe deutlich, dass Lucas fürchtet, sie könne sich verletzen, aber er wagt es nicht, etwas zu sagen, er sieht ihr zu, genau wie ich, sie ist geschickt darin, die Klingen hervorzuzaubern und sie wieder einzuklappen, man könnte meinen, sie hätte es ihr ganzes Leben lang geübt. Sie hat keine Angst. Lucas schlägt schließlich vor, etwas zu essen, und No legt die Messer in ihre Schachteln zurück, ich habe keins davon angerührt.

Wir sitzen am Küchentisch, Lucas hat Gläser aufgedeckt und Kekspackungen und Schokolade hingelegt, ich sehe No an, ihre Handgelenke, die Farbe ihrer Augen, ihre blassen Lippen, ihr schwarzes Haar, sie ist so hübsch, wenn sie lächelt, trotz der Zahnlücke.

Später fläzen wir uns aufs Sofa und hören Musik, der Zigarettenrauch hüllt uns in eine undurchsichtige Wolke, die Zeit bleibt stehen, mir ist, als beschützten uns die Gitarren, als gehörte uns die Welt.

Auf den Rat meines Vaters hin ist No wieder zu der Sozialarbeiterin gegangen, die für sie zuständig ist. Sie hat Verschiedenes mit den Behörden geregelt und geht zweimal pro Woche in eine Tageseinrichtung, die sich um die Wiedereingliederung junger Frauen aus besonders schwierigen Verhältnissen bemüht. Dort kann sie telefonieren, fotokopieren und einen Computer benutzen. Es gibt eine Cafeteria, und fürs Mittagessen bekommt sie Gutscheine für die umliegenden Restaurants. Sie hat angefangen, Arbeit zu suchen.

Mein Vater hat ihr einen Zweitschlüssel machen lassen, sie kommt und geht nach Belieben und isst oft bei Burger King, weil sie dort die Essensgutscheine ausbezahlt bekommt und sich so ihren Tabak selbst kaufen kann, sie antwortet auf Anzeigen, geht in Geschäfte und kommt immer früh nach Hause.

Sie verbringt ziemlich viel Zeit mit meiner Mutter und erzählt ihr von der Arbeitssuche, aber auch andere Dinge, denn meiner Mutter gelingt es am besten, sie zum Reden zu bringen. Manchmal stellt man ihr eine Frage, und dann wird ihr Gesicht verschlossen, sie tut so, als hätte sie nichts gehört, manchmal beginnt sie auch zu sprechen, gerade, wenn wir es am wenigsten erwarten, wenn meine Mutter kocht oder Geschirr wegräumt, oder wenn ich neben ihr Hausaufgaben mache, das heißt, wenn wir ihr unsere Aufmerksamkeit nur teilweise widmen können, wenn wir ihr zuhören können, ohne sie anzusehen.

Heute Abend muss mein Vater länger im Büro bleiben, wir drei sitzen in der Küche, meine Mutter putzt Gemüse (was an sich schon ein Ereignis ist), ich blättere in einer Zeitschrift. Meine Mutter stellt Fragen, keine mechanischen Fragen wie vom Tonband, sondern echte Fragen wie jemand, der sich für die Antwort interessiert. Es nervt mich ein wenig, aber No beginnt zu erzählen.

Ihre Mutter ist mit fünfzehn Jahren in einer Scheune vergewaltigt worden. Sie waren zu viert. Sie kamen aus einer Bar, sie fuhr mit dem Fahrrad am Straßenrand, sie zogen sie ins Auto. Als ihr klar wurde, dass sie schwanger war, war es schon zu spät für eine Abtreibung. Ihre Eltern hatten nicht genug Geld für die Reise nach England, wo die gesetzliche Frist noch nicht überschritten gewesen wäre. No kam in der Normandie zur Welt. Suzanne verließ die Schule, als ihr Bauch sichtbar wurde. Sie ist nie wieder hingegangen. Sie erstattete keine Anzeige, um die Schande nicht noch größer zu machen. Nach der Geburt fand sie Arbeit als Putzfrau in einem nahe gelegenen Supermarkt. Sie hat No nie in die Arme genommen. Sie konnte sie nicht berühren. Bis sie sieben Jahre alt war, wurde No von ihren Großeltern aufgezogen. Anfangs zeigte man mit Fingern auf sie und tuschelte hinter ihrem Rücken, man blickte weg, wenn sie vorbeikamen, und sagte seufzend Schlimmes voraus. Ihre Großmutter nahm sie mit zum Markt, sie schickte sie in den Kom-

munionsunterricht und holte sie von der Schule ab. Sie nahm sie an die Hand, wenn sie über die Straße gingen, sie ging mit stolz erhobenem Kopf. Und dann begannen die Leute zu vergessen. No kann sich nicht mehr erinnern, ob sie immer wusste, dass ihre Mutter ihre Mutter war, auf jeden Fall sagte sie nicht *Maman* zu ihr. Als No aus dem Kleinkindalter heraus war, weigerte sich ihre Mutter, bei Tisch neben ihr zu sitzen. Gegenüber wollte sie sie auch nicht haben. No musste weit weg sitzen, außerhalb ihres Blickfelds. Suzanne rief No nie bei ihrem Namen, sprach sie nie direkt an, sie zeigte aus der Entfernung auf sie und sagte *sie.* Abends ging Suzanne mit den Jungs aus der Gegend aus, die Motorräder hatten.
Die Großeltern sorgten für No, als wäre sie ihre eigene Tochter. Sie holten die Kinderkleider und das Spielzeug vom Speicher und kauften ihr Bilderbücher und Lernspiele. Wenn No von ihnen spricht, wird ihre Stimme lauter, sie deutet ein Lächeln an, als würde sie ein Lied voller Erinnerungen hören, ein Lied, das sie verwundbar macht. Sie lebten auf einem Bauernhof, ihr Großvater betrieb Ackerbau und Hühnerzucht. Als Suzanne achtzehn war, lernte sie in einer Disco einen Mann kennen. Er war älter als sie. Seine Frau war bei einem Autounfall ums Leben gekommen, sie war mit einem Kind schwanger gewesen, das nie zur Welt kam. Er arbeitete in Choisy-le-Roi bei einem Wachdienst, er verdiente Geld. Suzanne war schön, sie trug Miniröcke und hatte langes schwarzes Haar. Er bot ihr an, mit ihr nach Paris zu gehen. Im Sommer darauf zogen sie fort. No blieb auf dem Bauernhof. Ihre Mutter hat sie nie mehr besucht.

Als No mit sechs in die Grundschule kam, starb ihre Großmutter. Eines Tages stieg sie auf die Leiter, um Äpfel zu pflücken, doch in jenem Jahr kochte sie kein Kompott mehr, sie fiel auf den Rücken, wie ein großer Sack Bonbons lag sie da in ihrem geblümten Kittel. Ein Blutfaden rann aus ihrem Mund. Ihre Augen waren geschlossen. Es war heiß. No war es, die die Nachbarin alarmierte.
Der Großvater konnte No nicht bei sich behalten. Er musste sich um die Hähnchen und die Feldarbeit kümmern. Und ein alleinstehender Mann mit einem kleinen Mädchen, so etwas machte man nicht. Also zog No nach Choisy-le-Roi zu ihrer Mutter und dem Mann mit dem Motorrad. Sie war sieben Jahre alt.

Mit einem Schlag verstummt sie. Ihre Hände liegen flach auf dem Tisch, sie schweigt. Ich würde so gern erfahren, wie es weiterging, aber man darf nie etwas erzwingen, das hat meine Mutter schon vor langer Zeit verstanden, sie stellt keine Frage.

Im Verlauf weniger Wochen hat No ihren Platz bei uns gefunden, sie hat wieder Farbe bekommen und wahrscheinlich einige Kilo zugenommen, sie begleitet mich mal hierhin, mal dorthin, hängt Wäsche auf, holt die Post aus dem Briefkasten, raucht auf dem Balkon, beteiligt sich an der Auswahl der DVDs. Wir haben die Zeit vorher schon fast vergessen, die Zeit vor No. Wir können Stunden miteinander schweigen, ich merke genau, sie wartet darauf, dass ich sie einlade mitzukommen, es macht ihr Freude, gemeinsam mit mir den Aufzug zu

betreten, mit einem gemeinsamen Auftrag, mit mir einzukaufen, mit mir zurückzukehren, wenn es dunkel wird. Sie ist diejenige, die den Einkaufszettel in die Tasche steckt, eins nach dem anderen ausstreicht und, bevor wir zur Kasse gehen, ein letztes Mal überprüft, ob wir auch nichts vergessen haben – als hinge der Weltfrieden davon ab. Auf dem Rückweg bleibt sie manchmal mitten auf dem Bürgersteig stehen und fragt mich aus heiterem Himmel und ohne erkennbaren Grund:
»Wir sind doch zusammen, Lou, oder?«
Es gibt noch eine weitere Frage, die oft auftaucht und die ich wie die erste mit Ja beantworte, sie will wissen, ob ich ihr vertraue, ob ich Vertrauen zu ihr habe.
Unwillkürlich denke ich an einen Satz, den ich irgendwo gelesen habe, wo genau, weiß ich nicht mehr: Wer sich ständig deines Vertrauens vergewissert, wird es als Erster missbrauchen. Und dann versuche ich, die Worte aus meinem Kopf zu verbannen.

Meine Mutter blättert wieder in Zeitschriften, sie hat sich Bücher aus der Leihbücherei geholt und ein oder zwei Ausstellungen besucht. Sie zieht sich an, sie frisiert und schminkt sich, sie isst jeden Abend mit uns, stellt Fragen, erzählt Anekdoten, ein Abenteuer, das sie tagsüber erlebt hat, eine Beobachtung, sie findet den Gebrauch der Sprache wieder, sie zögert manchmal wie eine Genesende, unterbricht sich, findet den Faden wieder, sie hat Freundinnen angerufen, sich mit ehemaligen Kollegen getroffen und ein paar neue Kleidungsstücke gekauft.

Wenn wir abends am Tisch sitzen, sehe ich den Blick, den mein Vater auf ihr ruhen lässt, diesen ungläubigen, gerührten Blick, der zugleich voller Sorge ist, als hänge all dies, dies so Unerklärliche, an einem seidenen Faden.

Es gibt etwas Lästiges im Leben, etwas, wogegen kein Kraut gewachsen ist: Man kann nicht mit Denken aufhören. Als Kind übte ich mich jeden Abend darin, ich lag im Bett und versuchte, absolute Leere herzustellen, einen nach dem anderen verscheuchte ich die Gedanken, noch bevor sie zu Worten gerinnen konnten, ich zog sie mit der Wurzel aus, vernichtete sie mit Stumpf und Stiel, aber ich stieß immer aufs selbe Problem: daran denken, mit Denken aufzuhören, ist immer noch denken. Und dagegen ist nichts zu machen.
Einmal habe ich versucht, das Problem mit No zu besprechen. Ich dachte, nach alldem, was sie erlebt hatte, hätte sie vielleicht eine Lösung gefunden, eine Möglichkeit, das Problem zu umgehen, und sie sah mich spöttisch an.
»Hörst du nie damit auf?«
»Womit?«
»Mit Grübeln.«
»Eben nicht, genau das erkläre ich dir ja gerade, wenn du nämlich darüber nachdenkst, ist es nicht möglich.«
»Doch, wenn du schläfst.«
»Aber wenn man schläft, träumt man ...«
»Mach es einfach wie ich, ich träume nicht, Träumen ist ungesund.«

Sie findet es nicht idiotisch, dass ich die Zutatenlisten aus den Tiefkühlkost-Verpackungen ausschneide, dass ich die Etiketten von Kleidungsstücken und Textilien sammle, dass ich die Länge der Klopapierrollen verschiedener Marken miteinander vergleiche, mit einem Lächeln um die Mundwinkel, einem völlig unironischen Lächeln, sieht sie zu, wie ich messe, sortiere und klassifiziere. Ich sitze neben ihr und schneide Wörter aus der Zeitung aus, um sie in mein Heft zu kleben, sie fragt mich, ob ich nicht allmählich genug hätte oder wozu das gut sei, aber sie hilft mir, sie im Wörterbuch nachzuschlagen, ich merke, es gefällt ihr, man braucht nur zu sehen, wie sie mir die Definition diktiert mit ihrer brüchigen Stimme, wie eine Lehrerin betont sie jede Silbe, ganz ernsthaft und so. Einmal hat sie mir geholfen, für die Schule geometrische Formen auszuschneiden, sie gab sich wirklich Mühe, sie kniff die Lippen zusammen und wollte nicht, dass ich mit ihr redete, sie hatte Angst, es könnte danebengehen, es schien so wichtig für sie zu sein, dass alles perfekt wurde, auf den Mikrohundertstelmillimeter genau, und ich machte ihr schrecklich viele Komplimente, als sie fertig war. Am allerschönsten ist es für sie, wenn sie mir beim Aufsagen meiner Englisch-Hausaufgaben hilft. Einmal musste ich einen Dialog zwischen Jane und Peter über Umweltschutz wiederholen, ich traute mich nicht, ihr zu sagen, dass ich ihn nur ein- oder zweimal lesen musste, um ihn auswendig zu können, sie wollte unbedingt Peter spielen, und ich sollte Jane sein. Mit einem französischen Akzent, der wirklich zum Totlachen war, versuchte sie sich zehnmal an der Aussprache von *worldwide*, sie stolperte über das Wort, zog eine Grimasse und nahm einen neuen Anlauf. Wir haben so gelacht, dass wir nie damit fertig wurden.

Wenn ich beschäftigt bin, verbringt sie viel Zeit mit Nichtstun, das ist vielleicht das Einzige, das mich an ihre Vergangenheit erinnert, diese Fähigkeit, die sie hat, sich irgendwo abzulegen, wie einen Gegenstand, und mit abwesendem Blick zu warten, dass die Minuten vergehen, als müsse etwas geschehen, das sie an einen anderen Ort versetzt, als zähle das alles im Grunde nicht, als habe es keine Bedeutung, als könne das alles mit einem Schlag aufhören.
Wenn sie raucht, gehe ich mit ihr hinaus auf den Balkon, wir reden und betrachten die erleuchteten Fenster, die Umrisse der Gebäude, die sich im Dunkel abzeichnen, die Leute in ihren Küchen. Ich versuche, mehr über Loïc zu erfahren, ihren Freund, sie hat gesagt, er sei nach Irland gegangen, aber eines Tages, wenn sie Geld hätte und einen neuen Zahn, würde sie ihm hinterherreisen.

Abends treffen wir uns bei Lucas. Nach der Schule nehme ich mit ihm zusammen den Bus, und wenn es zu kalt ist, um an der Bushaltestelle zu warten, gehen wir hinunter in die Metro. No kommt nach, bei Lucas sind wir allein und frei. No verbringt ihre Tage damit, sich in Geschäften, bei Verbänden und in Agenturen vorzustellen, überall hinterlässt sie ihren Lebenslauf, sie ruft bei den Telefonnummern an, die man ihr empfiehlt, und hört überall dieselbe Antwort. Sie ist nach der neunten Klasse

von der Schule gegangen, sie spricht keine Fremdsprache, sie kann nicht mit dem Computer umgehen, und sie hat noch nie gearbeitet.
Zusammen mit Lucas erfinden wir bessere Zeiten für sie, glückliche Zufälle, Märchen. Sie hört lächelnd zu, sie lässt sich von uns ein anderes Leben erzählen, Lucas ist Meister darin, er denkt sich Szenen aus, Einzelheiten, Verkettungen, Zusammenhänge, lässt das Unmögliche möglich erscheinen. Ich stelle die Kuchenteller auf den Küchentisch, er legt die Bananen in die Pfanne, bestreut sie mit Zucker und lässt sie karamellisieren, und dann sitzen wir drei da, vor der Welt geschützt. Er äfft die Lehrer nach, um mich zum Lachen zu bringen (nur Madame Rivery nicht, er weiß, dass ich sie toll finde und dass Französisch mein Lieblingsfach ist), er zeigt uns seine Comics, seine Poster, seine Zeichen- oder Animations-Software, wir hören Musik oder sehen Filme, aufs Sofa geflätzt, ich schiebe mich zwischen No und ihn, ich spüre die Wärme ihrer Körper an meinem, und mir ist, als könnte uns niemals etwas zustoßen.

No und ich gehen zu Fuß zurück; die Schals um den Hals gewickelt, stemmen wir uns gegen den Wind, wir könnten kilometerweit so gehen, Seite an Seite, immer weiter geradeaus, wir könnten anderswohin gehen, um zu sehen, ob das Gras dort grüner ist und das Leben weniger hart, weniger schwierig.

Was auch geschieht, wenn ich später an sie denken werde, dann werden diese Bilder vorherrschen, das weiß ich, diese leuchtenden, intensiven Bilder, ihr offenes Gesicht, ihr Lachen mit Lucas, die Wollmütze, die mein Vater ihr geschenkt und die sie über ihr verwuseltes Haar gezogen hat, diese Momente, in denen sie bestimmt sie selbst ist, ohne Angst, ohne Groll, ihre im blauen Schein des Fernsehers glänzenden Augen.

An dem Abend, als No uns verkündete, sie habe Arbeit gefunden, ging mein Vater los und kaufte eine Flasche Champagner. Wir mussten die Kristallkelche erst spülen, sie waren schon lange nicht mehr benutzt worden, wir hoben unsere Gläser und stießen auf Nos Wohl an, mein Vater sagte, nun beginne ein neues Leben, ich suchte auf ihren Gesichtern nach ihren Gefühlen, No hatte rosige Wangen, da brauchte man kein Spezialist zu sein, ich glaube sogar, sie gab sich unheimliche Mühe, nicht zu weinen. Als sie uns mehr darüber erzählte, sah mein Vater so aus, als fände er die Arbeit nicht ideal, aber sie war so glücklich, dass ihr niemand die Freude verderben oder auch nur den kleinsten Vorbehalt äußern wollte.

Jeden Morgen ab sieben Uhr arbeitet No als Zimmermädchen in einem Hotel in der Nähe der Bastille. Um sechzehn Uhr hört sie auf, aber an manchen Tagen muss sie länger bleiben, um den Kellner an der Bar zu vertreten, wenn er Einkäufe oder Lieferungen zu erledigen hat. Der Arbeitgeber hat sie als Halbtagskraft gemeldet, den Rest zahlt er schwarz. Sie hat meinen Eltern gesagt, sie würde sie von ihrem ersten Lohn ins Restaurant einladen und dann ausziehen, sobald sie eine Bleibe gefunden hätte. Die beiden antworteten im Chor, das habe wirklich keine Eile. Sie solle sich Zeit lassen. Bis sie sicher sei, dass ihr die Arbeit zusage. Meine Mutter bot ihr an, ihr ein oder zwei Garnituren Arbeitskleidung zu kaufen, wir lachten uns halb tot, als wir in den Versandhauskatalogen blätterten und uns No in einem geblümten Nylonkittel vorstellten, es gab sie in allen Formen und Farben, vorn oder hinten geknöpft, mit großen Taschen, und es gab auch Spitzenschürzchen wie in den Filmen von Louis de Funès.

Jetzt steht No vor uns auf. Ihr Wecker klingelt um sechs, sie macht Kaffee, schlingt eine Scheibe Brot hinunter und geht dann in die Dunkelheit hinaus. Mittags isst sie ein Sandwich mit dem Kellner an der Bar, sie sitzt dann auf einem der Barhocker, aber nicht länger als eine Viertelstunde, sonst *brennen dem Chef die Sicherungen durch* (ich hab's im Wörterbuch nachgeschlagen, sobald sie mir den Rücken zukehrte). Bevor sie abends das Hotel verlässt, zieht sie sich um, sie lässt ihr Haar wieder offen hängen, streift den Blouson über, läuft denselben Weg wieder zurück und kommt erschöpft zu Hause an. Sie legt sich dann einen Moment hin, ein Kissen unter den Beinen, und manchmal schläft sie ein.

Jeden Tag muss sie etwa zwanzig Zimmer sauber machen und außerdem alle Gemeinschaftsräume, Salon, Eingang, Flure, sie hat keine Zeit zum Träumen, der Chef sitzt ihr immer im Nacken. Sie hat uns die Hotelgäste nie wirklich beschreiben können, es ist wohl eine gemischte Kundschaft, manchmal erzählt sie von Touristen, manchmal von Geschäftsreisenden. Es ist immer voll. Ihr Chef hat ihr gezeigt, wie man die schmutzige von der sauberen Wäsche trennt (wobei er da sehr persönliche Vorstellungen hat), wie man die nur einmal benutzten Handtücher faltet, damit sie nicht gewaschen werden müssen, und die kleinen Shampoofläschchen wieder auffüllt. Sie darf nicht Pause machen, sich hinsetzen oder mit den Gästen sprechen, einmal hat er sie erwischt, wie sie im Erdgeschoss eine Zigarette rauchte, dies sei die erste und die letzte Abmahnung, hat er gebrüllt.

Die Sozialarbeiterin hat ihre Akte für die Gesundheitsfürsorge angelegt, sie wartet noch auf Antwort, aber weil sie Rückenschmerzen hatte, hat mein Vater sie zu unserem Arzt geschickt und ihr das Geld fürs Honorar mitgegeben.

Sie kam mit einem Entzündungshemmer und einem Medikament zur Lockerung verspannter Muskeln zurück, ich habe die Beipackzettel gelesen, von Medikamenten verstehe ich einiges, wegen all der Mittel, die meine Mutter genommen hat und immer noch nimmt, ich schließe mich ins Badezimmer ein, um mich über die Anwendungsgebiete, die Einnahme, die Nebenwirkungen und so zu informieren und setze meine Recherchen dann im Gesundheitslexikon fort, ich lege ein Verzeichnis der Moleküle und ihrer Hauptmerkmale an. Wenn ich gefragt werde, was ich werden will, sage ich immer, Notärztin oder Rocksängerin, dann lächeln die Leute, sie sehen da keinen Zusammenhang, ich schon.

No nimmt ihre Medikamente, anscheinend geht es ihr besser, sie gewöhnt sich ein. Wenn sie länger bleibt, um an der Bar zu bedienen, bis der Kellner zurückkommt, muss sie gut angezogen sein. Meine Mutter hat ihr ein paar eher schicke Röcke geliehen, die ihr wirklich gut stehen.

Wenn sie dienstags rechtzeitig aus dem Hotel wegkommt, treffen wir uns in Lucas' Wohnung. Er lädt Musikstücke aus dem Internet hoch, macht uns mit neuen Gruppen bekannt, er zieht die Vorhänge zu, und wir reden über alles und nichts, No erzählt, wie die Zimmer morgens aussehen, was die Leute alles vergessen, welche Strategien ihr Chef anwendet, um auch noch am Kleinsten zu sparen, und sie bringt uns zum Lachen, indem sie ihn imitiert mit seinem dicken Bauch und den ringbeladenen Fingern, sie spricht dann mit tiefer Stimme und tut so, als müsse sie sich die Stirn mit einem Taschentuch abwischen, anscheinend macht er das die ganze Zeit. Sie erzählt uns von ihren neuesten Erlebnissen, zum Beispiel von der Toilettentür, die zwei Stunden lang nicht aufging, bis der Typ dahinter sie schließlich einschlug, oder vom Riesenaufstand, den ein Gast veranstaltete, nachdem er entdeckt hatte, dass der Gin mit Wasser gestreckt worden war. Lucas wiederum erzählt ihr Geschichten aus unserer Klasse und zeichnet die Porträts der Schüler, er verbringt die Unterrichtszeit damit, die anderen zu beobachten, ihre Kleidung, ihren Gang, ihre Manien, er beschreibt sie mit verblüffender Präzision, er berichtet von Affinitäten, Gleichgültigkeit und Rivalitäten. Mit seinem Gangsterblick erzählt er natürlich auch von seinen eigenen Dummheiten, den miesen Noten, den bösen Verweisen und zerrissenen Heften. Und auch mich vergisst er nicht, er imitiert meine Schüchternheit, wenn ich meine Texte laut vorlesen muss, ganze Abschnitte kann er auswendig hersagen.

An den übrigen Wochentagen verbringe ich ein oder

zwei Stunden allein bei ihm, bevor ich nach Hause gehe. Er hat im Internet einen Blog eingerichtet und schreibt kleine Texte über Comics, Musik oder Filme, er fragt mich nach meiner Meinung und lässt mich die Kommentare lesen, die er bekommt. Er möchte eine eigene Rubrik nur für mich schaffen, den Titel hat er schon: *Krümel Unendlich*. Ich finde es schön, neben ihm zu sein, seinen Geruch einzuatmen, seinen Arm zu streifen. Ich könnte Stunden damit zubringen, ihn anzusehen, seine gerade Nase, seine Hände, die Strähne, die ihm in die Augen fällt.

Und wenn er meinem Blick begegnet, lächelt er sein unglaublich sanftes, ruhiges Lächeln, und dann sage ich mir, dass wir das Leben noch vor uns haben, das ganze Leben.

In Choisy-le-Roi lebte No mit ihrer Mutter und dem Motorrad-Mann in einer Dreizimmerwohnung im Stadtzentrum. Er ging frühmorgens weg und kam spätabends wieder. Er klapperte die Unternehmen ab, um Schlösser, Stahltüren und Alarmsysteme zu verkaufen. Er fuhr einen Dienstwagen, trug schicke Anzüge und ein goldenes Kettchen am Handgelenk. No erinnert sich noch genau an ihn, sagt sie, sie würde ihn noch auf der Straße erkennen. Er war nett zu ihr. Er machte ihr Geschenke, interessierte sich für ihre Leistungen in der Schule und brachte ihr das Fahrradfahren bei. Ihretwegen stritt er oft mit ihrer Mutter. Suzanne ließ sie in der Küche zu Abend essen, sie stellte ihr den Teller hin wie einem Hund, dann machte sie die Tür zu. Eine Viertelstunde später kam sie wieder und schimpfte, wenn der Teller nicht leer war. No sah auf die Wanduhr und folgte mit den Augen dem Sekundenzeiger, um die Zeit herumzubringen. No versuchte, sich unsichtbar zu machen, sie wusch das Geschirr ab, putzte, kaufte ein und zog sich in ihr Zimmer zurück, sobald sich die Gelegenheit bot, dort brachte sie Stunden zu, ganz still. Wenn der Mann mit ihr spielte, schmollte ihre Mutter. Es kam immer häufiger zu Streitereien, No hörte durch die Wand Schreie und harte Worte, ihre Mutter warf dem Mann vor, er komme immer so spät zurück und treffe sich bestimmt mit einer anderen Frau. Manchmal verstand No,

dass es um sie ging, er warf ihrer Mutter vor, sich nicht genug um sie zu kümmern, du lässt sie den Bach runtergehen, sagte er, und die Mutter weinte auf der anderen Wandseite. Der Mann kam immer später nach Hause, und die Mutter kreiste durch die Wohnung wie ein Tiger im Käfig. No beobachtete sie durch die halboffene Tür, sie hätte sie gern in die Arme genommen, sie getröstet, sie um Verzeihung gebeten. Einmal hat sie sich ihrer Mutter genähert und wurde von ihr so heftig zurückgestoßen, dass sie sich an der Tischkante die Braue aufschlug, die Narbe sieht man heute noch.
Eines Abends im Jahr darauf ging der Mann weg. Nach der Arbeit spielte er mit No, las ihr eine Geschichte vor und deckte sie im Bett zu. Später in der Nacht hörte No Geräusche, sie stand auf und überraschte ihn in der Diele, er trug einen großen Müllsack voller Sachen und einen langen grauen Mantel. Er stellte den Sack ab, um ihr übers Haar zu streichen.
Er zog die Tür hinter sich zu.
Einige Tage später kam eine Sozialarbeiterin. Sie stellte No Fragen, suchte ihre Lehrerin auf, sprach mit den Nachbarn und sagte, sie werde wiederkommen. No weiß nicht mehr, ob ihre Mutter mit dem Trinken anfing, bevor oder nachdem der Mann sie verließ. Sie kaufte Bier in Achterpacks und füllte den Einkaufsroller mit Weinflaschen. No half ihr, ihn die Treppen hinaufzuschaffen. Nos Mutter fand eine Stelle als Kassiererin in einem nahe gelegenen Supermarkt, sie ging zu Fuß hin, und sobald sie wieder zu Hause war, fing sie an zu trinken. Abends schlief sie vollständig angezogen vor dem

Fernseher ein, No stellte den Fernseher ab, zog ihr die Schuhe aus und deckte sie zu.
Später zogen sie nach Ivry in eine Sozialwohnung, dort wohnt ihre Mutter immer noch. Sie verlor ihre Arbeit. No blieb oft bei ihr, statt in die Schule zu gehen, sie half ihr aufzustehen, die Vorhänge aufzuziehen und zu kochen. Ihre Mutter redete nicht mit ihr, sie gab ihr mit den Händen oder mit dem Kopf Zeichen, das hieß, bring mir dies oder jenes, ja, nein, doch sie sagte niemals danke. No kam in der Schule nicht mehr mit, sie versteckte sich hinter den Säulen der Pausenhalle, spielte nicht mit den anderen, machte keine Hausaufgaben. Sie meldete sich nie im Unterricht und antwortete nicht, wenn sie aufgerufen wurde. Eines Tages kam sie mit aufgeplatzter Lippe und blauen Flecken am ganzen Körper zur Schule. Sie war im Treppenhaus gefallen, hatte sich zwei Finger gebrochen, und niemand hatte sich um die Verletzungen gekümmert. Die Sozialarbeiterin verständigte das Sozialamt.
Mit zwölf Jahren wurde No in eine Pflegefamilie gegeben. Monsieur und Madame Langlois hatten eine Tankstelle am Ortseingang von Colombelles. Sie wohnten in einem neuen Haus und besaßen zwei Autos, einen Farbfernseher mit riesigem Bildschirm, einen Videorecorder und eine Küchenmaschine neuster Bauart. No erwähnt immer solche Details, wenn sie etwas erzählt, noch vor dem Eigentlichen. Sie hatten drei Kinder, die schon aus dem Haus waren, und deshalb hatten sie sich als Pflegeeltern beworben. Sie waren nett. No lebte mehrere Jahre bei ihnen, und ihr Großvater kam sie an einem Nach-

mittag pro Monat besuchen. Monsieur und Madame Langlois kauften ihr, was sie an Kleidung brauchte, gaben ihr Taschengeld und machten sich Sorgen wegen ihrer schlechten schulischen Leistungen. Als sie aufs *Collège* kam, fing sie an zu rauchen und mit den Jungs in den Cafés rumzuhängen. Sie kam spät nach Hause, saß stundenlang vorm Fernseher und wollte nicht zu Bett gehen. Sie hatte Angst vor der Nacht.
Nachdem sie mehrmals ausgerissen war, steckte man sie in ein nicht allzu weit entferntes Erziehungsheim, ein Internat. Ihr Großvater besuchte sie weiterhin, und manchmal verbrachte sie ein paar Ferientage bei ihm auf den Bauernhof.
Auf dem Internat lernte sie Loïc kennen. Er war ein bisschen älter als sie und bei den Mädchen sehr beliebt. Nach dem Unterricht spielten sie Karten oder erzählten sich aus ihrem Leben, und nachts schlichen sie sich ins Freie, um Sternschnuppen zu beobachten. Auf demselben Internat hat sie auch Geneviève kennengelernt, das Mädchen, das bei Auchan arbeitet, sie haben sich sofort angefreundet. Genevièves Eltern waren einige Monate zuvor bei einem Brand ums Leben gekommen, sie bekam mitten im Unterricht Wutanfälle und warf Fensterscheiben ein, niemand durfte ihr nahe kommen. Man nannte sie *die Wilde*, sie war imstande, die Vorhänge herunterzureißen und zu zerfetzen. An jedem zweiten Wochenende fuhr Geneviève zu ihren Großeltern, die in der Nähe von Saint-Pierre-sur-Dives lebten. Ein, zwei Mal lud sie No ein mitzukommen, sie nahmen gemeinsam den Zug, und Genevièves Oma holte sie vom Bahnhof ab. No

mochte ihr Haus sehr, die weißen Wände, die hohen Decken, sie fühlte sich dort geborgen.
In Geneviève wütete es, sie hatte den rasenden Wunsch, aus ihrer Lage herauszukommen. Das sagt jedenfalls No. Geneviève machte nämlich, nachdem sie aufgehört hatte, alles kaputtzumachen und mit dem Kopf gegen die Wand zu rennen, einen Schulabschluss und zog nach Paris. No begann wieder wegzulaufen.

Wir hörten den Schlüssel im Schloss, mein Vater kam in die Küche, und No brach ab. Wenn sie mit meiner Mutter spricht, gibt sie acht und vermeidet allzu grobe Ausdrücke. Ich spüre genau, wie meine Mutter ihr antwortet. Mit achtzehn ist man erwachsen, das merkt man an der Art, wie die Leute einen ansprechen, mit einer Art Rücksicht und Distanz, anders als sie ein Kind ansprechen, es hat nicht nur mit dem Inhalt zu tun, sondern auch mit der Form, einer Art Bemühen um gleiche Augenhöhe, so spricht meine Mutter mit No, und ich muss zugeben, es versetzt mir innerlich oft Stiche, als würden mir kleine Nädelchen ins Herz gestoßen.

Als ich drei oder vier Jahre alt war, glaubte ich, das Alter entwickle sich gegenläufig und meine Eltern würden in dem Maße, in dem ich größer würde, kleiner. Ich sah mich schon im Wohnzimmer stehen, mit gerunzelter Stirn und erhobenem Zeigefinger, und mit tiefer Stimme sagen, Nein, jetzt habt ihr genug Nutella gegessen.

Der Sonntag ist der Tag der häuslichen Experimente: Reaktion unterschiedlicher Brotsorten auf die Stufe 8 des Toasters (Mischbrot, Baguette, Milchbrötchen, Sechskorn), Zeit bis zum Verschwinden von Fußabdrücken auf feuchtem Boden, Zeit bis zum Verschwinden von Mundabdrücken auf beschlagenem Spiegel, Test der Widerstandsfähigkeit eines Haargummis im Vergleich zu der eines Schnippgummis, Löslichkeitsgrad von Nesquik im Vergleich zu dem von Pulverkaffee – eingehende Analysen, deren Zusammenfassung in einem eigens dafür vorgesehenen Heft ins Reine geschrieben werden. Seit No bei uns wohnt, muss ich mich um sie kümmern, ich meine, wenn sie nicht an ihrer Arbeitsstelle ist, auch das ist eine Art Experiment, auf sehr hohem Niveau, ein großangelegtes Experiment gegen das Schicksal.

Wenn No abends heimkehrt, kommt sie immer zu mir ins Zimmer. Sie streckt sich auf dem Boden aus, verschränkt die Hände unter dem Nacken und legt die Füße auf einen Stuhl, wir erzählen uns dann einen Haufen unwichtigen Kram, ich mag das, die Zeit zerrinnt zwischen den Fingern, ohne Langeweile, ohne dass sich etwas Besonderes ereignet, nur wohliges Dasein. Sie fragt immer nach vielen Einzelheiten aus der Schule, wie Axelle angezogen war, welche Note Léa bekommen hat, wie es bei Lucas geklappt hat, sie kennt fast alle Namen

und fragt nach Neuigkeiten wie bei einer Fernsehserie. Manchmal denke ich, es ist vielleicht das, was ihr fehlt, die Schule und all das, sie würde vielleicht gern in Shorts durch die Turnhalle rennen, in der Mensa Zungenragout essen und gegen den Getränkeautomaten treten. Manchmal bittet sie mich, mit ihr nach draußen zu gehen, als brauche sie plötzlich Luft, als müsse sie draußen sein, dann gehen wir nach unten und drehen eine Runde, wir tragen zum Spaß Wettkämpfe auf den Spalten zwischen den Gehsteigplatten aus, wir spielen Seiltänzer oder Hüpfekästchen. Ich hätte nie gedacht, dass man so etwas in ihrem Alter noch schön finden könnte, doch No macht bei allen meinen Abenteuern mit, nimmt jede meiner Herausforderungen an und gewinnt fast immer. Neulich Abend haben wir uns auf eine Bank gesetzt, es war unglaublich mild für Januar, wir saßen einfach so nebeneinander und zählten die Frauen, die Stiefel trugen (eine Seuche), und die Bulldoggen, die an der Leine geführt wurden (auch so eine Mode).
Mit ihr zusammen ist nichts absurd, nichts unnütz. Sie sagt nie »du hast vielleicht Ideen«, sie schließt sich mir an. Sie ist mit mir in den Baumarkt gegangen und hat Wäscheleinen gekauft, die ich in meinem Zimmer spannen möchte (um meine derzeitigen Testobjekte aufzuhängen), sie hat mit mir gebrauchte Metrofahrscheine aufgesammelt (weil ich herausfinden wollte, welcher Code benutzt wird und woran die Kontrolleure erkennen, ob ein Fahrschein gültig ist), sie hat mir geholfen, als ich in der Badewanne die Wasserdichtigkeit verschiedener Tupperware-Dosen testete. Anfangs spielte sie gern die

Assistentin, überaus rasch reichte sie mir Pinzetten, Scheren und Behälter, inzwischen aber nimmt sie an meinen kleinen Unternehmungen aktiv teil, sie schlägt neue Vorgehensweisen und sogar Lösungen vor.
Ich sehe deutlich, dass sie es an ihrer Arbeitsstelle nicht leicht hat, aber sie spricht nicht gern darüber. Vielleicht kann sie irgendwann etwas Besseres finden, in einem anderen Hotel oder anderswo, wenn sie ein bisschen Erfahrung gesammelt hat. Bis dahin geht sie jeden Morgen ins Dunkle hinaus und verbringt ihre gesamte Freizeit mit mir.

Sie hat in einer Emmaus-Kleiderkammer neue Kleidungsstücke bekommen, einen sehr kurzen roten Rock und zwei enge Hosen. Meine Mutter hat ihr ein paar Pullover gegeben, sie trägt sie oft, den Blouson, den sie trug, als ich sie kennenlernte, wollte sie unbedingt behalten, meine Mutter hat ihn reinigen lassen, aber die Flecken sind nicht restlos verschwunden. Sie ist wegen der Wohnung noch einmal zur Sozialarbeiterin gegangen, aber mit ihrem halb schwarz gezahlten Lohn sind ihre Aussichten gleich null. Sie kann höchstens hoffen, in einer der Wiedereingliederungs-Einrichtungen unterzukommen, die für längere Wohnaufenthalte eingerichtet sind.
Ich möchte nicht, dass sie weggeht. Ich erinnere sie daran, dass wir zusammen sind, sie hat es doch gesagt, das haben wir uns versprochen, wir sind zusammen, No, oder? Sie nickt und hört auf, ständig zu wiederholen, es könne nicht von Dauer sein.

Lucas schreibt mir Briefchen während des Unterrichts, er faltet die Zettel und schiebt sie mir zu. *Awful!*, als die Englischlehrerin einen seltsamen Rock mit Fransen und Perlen am Saum trägt, *Der kann mich mal …*, als ihm Monsieur Marin das x-te Ungenügend verpasst hat, *Wo ist der Gnom?*, als Gauthier de Richemont fehlt (ein nicht besonders hübscher Junge, den er hasst, seit dieser ihn bei der Direktorin wegen Rauchens auf der Toilette verpetzt hat).
In Französisch verhält er sich still, selbst wenn wir Grammatik machen, das ist das Fach, in dem ich am besten aufpasse, ich hasse es, wenn man mich stört, ich konzentriere mich, damit mir bloß nichts entgeht. Madame Rivery gibt mir Extra-Aufgaben, es ist wie bei einem Logik- oder Ableitungsspiel, wie beim Sezieren ohne Leiche und Skalpell.
Wer glaubt, Grammatik sei nur eine Gesamtheit von Regeln und Einschränkungen, irrt. Wenn man sich auf sie einlässt, enthüllt einem die Grammatik den verborgenen Sinn der Geschichte, sie verbirgt Unordnung und Verwahrlosung, verbindet die Elemente und vereint die Gegensätze, die Grammatik ist ein wunderbares Mittel, die Welt so zu organisieren, wie man sie gern hätte.

Nachdem er mich mit tausend Anweisungen überschüttet hat, ist mein Vater für einige Tage auf Dienstreise nach

Schanghai gefahren. Ich soll nicht so spät nach Hause kommen, meiner Mutter beim Kochen helfen und ihn beim geringsten Problem benachrichtigen.
Er ruft jeden Morgen an, will mich sprechen und fragt besorgt, wie es meiner Mutter gehe, ob sie ohne ihn zurechtkomme. Ich gehe in ein anderes Zimmer, berichte ihm jede Einzelheit, um ihn zu beruhigen, ja, sie geht einkaufen und kocht, sie spricht, sie hat auf dem Marché Saint-Pierre Stoff gekauft, um die alten Kissen neu zu beziehen.

Abends essen wir drei zusammen. Da mein Vater nicht da ist, essen wir all das, was er missbilligt, Hamburger, Pommes, Kroketten, aber das binde ich ihm am Telefon natürlich nicht auf die Nase. Meiner Mutter ist dieser ganze Ernährungs- und Gesundheitskram egal, sie hat andere Probleme.
Gestern erzählte sie No, wie ich im Alter von vier Jahren innerhalb weniger Wochen lesen gelernt habe, erst die Etiketten der Müsli-, Waschpulver- und Kakaopackungen und danach Bücher. Dann erzählte sie von dem Tag, als ich vom Kühlschrank herunterfiel, ich war hinaufgeklettert, weil ich sehen wollte, wie der Boiler funktionierte, und von dem Tag, als ich mein *Fisher-Price*-Tonband in sämtliche Einzelteile zerlegte, um seine Funktionsweise zu verstehen. Von Nos Interesse ermutigt erzählte sie weitere Anekdoten aus meiner Kindheit, vom Verlust meines gelben Kaninchens, das wir versehentlich auf einem Autobahnrastplatz vergessen hatten, von dem entenförmigen Schwimmring, den ich einen ganzen

Sommer lang mit ins Bett nahm, weil ich mich nicht davon trennen wollte, von meinen rosa Sandalen mit dem gelben Stern, die ich bis mitten in den Winter hinein mit Söckchen trug, und von meiner Leidenschaft für Ameisen.

Ich hörte zu und dachte, das ist unglaublich, meine Mutter hat Erinnerungen. Es ist also doch nicht alles ausgelöscht. Meine Mutter bewahrt in ihrem Gedächtnis farbige Bilder auf, Bilder von vorher.

Wir sind sehr lange aufgeblieben, sie hatte eine Flasche Wein aufgemacht, für sich und No, ich durfte nur einmal zum Probieren nippen.

No fing an, ihr Fragen zu stellen, wie es gewesen sei, als sie jünger war, in welchem Alter sie meinen Vater kennengelernt habe, in welchem Alter sie geheiratet hätten, ob wir immer hier gelebt hätten, in dieser Wohnung, seit wann sie nicht mehr arbeite und so.

Als meine Mutter von Thaïs erzählte, wäre ich fast vom Stuhl gefallen, denn No sah mich vorwurfsvoll an, warum hast du es mir nie gesagt, bedeutete dieser Blick, und ich blickte auf meinen Teller, denn dafür gab es keine Gründe. Manche Geheimnisse sind wie Fossilien, und der Stein ist zu schwer geworden, als dass man ihn noch umdrehen könnte. *Voilà*.

Sie tranken die Flasche Wein leer, und dann erklärte meine Mutter, es sei schon spät und ich müsse am nächsten Morgen zur Schule.

Wenn ich sehr zornig bin, führe ich Selbstgespräche, und das tat ich, als ich im Bett war, mindestens eine Stunde

lang zählte ich meine sämtlichen Leiden und Schmerzen auf, das ist sehr erleichternd, der Trick funktioniert noch besser, wenn man sich vor einen Spiegel stellt und ein bisschen dicker aufträgt, so als ob man jemanden beschimpfen würde, aber dazu war ich zu müde.
Heute Morgen hörte ich No aufstehen und dann das Geräusch der Dusche und der Kaffeemaschine, ich machte die Augen nicht auf. Seit sie arbeitet, haben wir weniger gemeinsame Zeit, deshalb stehe ich manchmal früher auf, um sie ein paar Minuten zu sehen, aber heute Morgen nicht, da hatte ich keine Lust.

In der Schule traf ich Lucas wieder, er erwartete mich vor dem Eingang, wir hatten einen Test in Erdkunde, aber er hatte nichts gelernt.
Ich schob mein Heft in seine Sichtweite, aber er warf keinen Blick darauf. Er pfuscht nicht, er denkt sich nichts aus, er zeichnet kleine Männchen an den Rand eines Blattes, das ansonsten leer bleibt, und ich mag diese Männchen, ihr zu Berge stehendes Haar, die riesigen Augen und die wunderbaren Kleider.
In der Mensaschlange dachte ich an meine Mutter, an die Beweglichkeit ihres Gesichts und ihrer Hände, an ihre Stimme, die nicht mehr nur flüstert. Es ist ganz gleich, ob es dafür nun eine Erklärung gibt, eine Beziehung von Ursache und Wirkung. Es geht ihr besser, sie ist dabei, wieder Freude am Gespräch und an Gesellschaft zu finden, alles andere muss unwichtig sein.
Nach der Schule lud mich Lucas auf eine Cola in die *Bar Botté* ein, er fand, ich sehe traurig aus. Er erzählte mir den

neusten Schultratsch (er ist über alles auf dem Laufenden, weil er jeden kennt) und versuchte, mir die Würmer aus der Nase zu ziehen, aber ich brachte es nicht fertig, etwas zu sagen, weil sich alles in meinem Kopf verheddert hatte und ich nicht wusste, an welchem Ende ich anfangen sollte.

»Weißt du, Krümel, jeder hat seine Geheimnisse. Und manche müssen unten bleiben, da wo man sie versteckt hat. Aber ich kann dir mein Geheimnis sagen: Wenn du groß bist, werde ich dich an einen Ort mitnehmen, an dem die Musik so schön ist, dass man auf der Straße tanzt.«

Ich kann gar nicht sagen, wie das auf mich wirkte, auch nicht, wo genau es sich abspielte, irgendwo mitten im Plexus, etwas, das mich am Atmen hinderte, mehrere Sekunden lang konnte ich ihn nicht ansehen, ich nahm nur die Einschlagsstelle wahr und die Hitze, die an meinem Hals hochkroch.

Wir schwiegen, und dann fragte ich:

»Glaubst du, dass es Eltern gibt, die ihre Kinder nicht lieben?«

Wenn man bedachte, dass sein Vater am anderen Ende der Welt lebte und seine Mutter sich in einen Luftzug verwandelt hatte, war das keine besonders geschickte Frage. Ich bedaure oft, dass man die ausgesprochenen Worte nicht ausradieren kann wie auf dem Papier, dass es keinen Spezialstift gibt, den man in der Luft schwenkt, um die Worte auszustreichen, bevor sie gehört werden können.

Er zündete sich eine Zigarette an und richtete seinen Blick durch die Glasscheibe in die Ferne. Und dann lächelte er.

»Ich weiß nicht, Krümel. Ich glaube nicht. Ich glaube, es ist immer komplizierter, als man denkt.«

Neulich haben wir Fotos gemacht, No und ich. Lucas hatte einen Apparat im Schrank seines Vaters gefunden, so ein altes Ding mit einem Film drin, den man entwickeln lassen muss. In derselben Kiste lagen ein paar Filme mit überschrittenem Haltbarkeitsdatum, und wir beschlossen, es einfach auszuprobieren. Während seiner Gitarrenstunde gingen wir nach draußen und fotografierten uns beide mit dem Selbstauslöser, wir dachten uns Hexenfrisuren aus (Lucas hatte mir ein Gel geliehen, mit dem die Haare starr abstanden). Ein paar Tage später holten wir die Bilder zusammen ab und setzten uns in der Nähe des Geschäfts auf eine Bank, um sie anzuschauen. Die Farben waren ein wenig verschossen, als hätten die Fotos zu lange an der Wand gehangen. Sie wollte sie zerreißen. Sie fand sich auf allen schrecklich, sieh mal, wie hübsch ich früher war, als ich klein war, sagte sie. Sie holte ein Kinderbild von sich aus der Tasche, das einzige, das sie besitzt, sie hatte es mir nie gezeigt. Ich sah es lange an.

Sie ist etwa fünf oder sechs Jahre alt, der Pony ist ordentlich gekämmt, zwei dunkle Zöpfe umrahmen ihr Gesicht, sie lächelt, und doch ist etwas an dem Bild, das schmerzt, sie sieht direkt ins Objektiv, ihre Umgebung ist nur schwer zu erkennen, eine Bibliothek oder ein Klassenzimmer, aber das ist nicht so wichtig, sie ist ganz allein, das sieht man auf dem Foto, man sieht es an ihrer

Haltung, die Hände aufs Kleid gelegt, und an dieser Leere rings um sie herum. Sie ist ein kleines Mädchen, das ganz allein ist auf der Welt, ein verlassenes Mädchen. Sie nahm mir das Foto wieder ab, sie war ganz stolz, siehst du, wie hübsch ich war als Kind?, fragte sie wieder. Ich weiß nicht, warum ich in diesem Augenblick an eine Reportage dachte, die ich einige Monate zuvor im Fernsehen gesehen hatte, es ging um Kinder in Waisenhäusern, ich hatte so sehr geweint, dass mein Vater mich noch vor dem Ende der Sendung ins Bett schickte.
»Das geht dich eigentlich überhaupt nichts an …«

Seit einigen Tagen ist sie schlecht gelaunt, sie schließt sich in ihr Zimmer ein und gerät wegen jeder Kleinigkeit in Wut, wenn wir beide unter uns sind. Es tut mir weh, aber ich erinnere mich, mein Vater hat einmal gesagt, dass man sich gerade gegenüber den Menschen, die man am meisten liebt und denen man am meisten vertraut, unfreundliches Benehmen erlauben kann (weil man weiß, dass es sie nicht davon abbringen wird, uns zu lieben). Ich habe entdeckt, dass No meiner Mutter Medikamente geklaut hat, Xanax und solche Sachen, ich bin mal ins Badezimmer gekommen, als sie gerade eine Packung wieder verschloss. Sie hat mir das Versprechen abgenommen, dass ich nichts sage, als wäre ich eine, die petzt und so. Sie braucht es zur Beruhigung, aber ich weiß, dass man nicht einfach alles Mögliche ohne Verschreibung einnehmen darf, das steht in meinem Gesundheitslexikon, sie hat mir versprochen, dass sie noch einmal zum Arzt geht, sobald sie ihren Versichertenausweis hat. Mir ist klar, dass es an ihrer Arbeitsstelle schwieriger wird. Sie kommt immer später nach Hause, immer müder, an manchen Abenden will sie nicht mit uns essen, sie habe keinen Hunger, behauptet sie, nachts läuft sie hin und her, dreht den Wasserhahn auf, öffnet das Fenster, schließt es wieder, mehrmals habe ich sie trotz der geschlossenen Tür auf der Toilette erbrechen hören. Meine Eltern merken nichts, weil meine Mutter Schlafmittel nimmt und mein Vater einen sehr tiefen Schlaf hat (angeblich konnte man, als er klein war, neben ihm staubsaugen, ohne dass er aufwachte). Als er aus China zurückkam, schenkte er jeder von uns einen kleinen Glücksbringer mit einem roten Faden als Aufhänger, ich habe meinen übers Bett gehängt, denn ich weiß, dass die Nacht die Zeit ist, in der die Dinge verlorengehen. No hat ihren in ein Knopfloch ihres Blousons geknotet. Sie hat ihren ersten Lohn erhalten, halb bar und halb in Form eines Schecks. Ihr Chef hat die Überstunden nicht berücksichtigt. Wenn sie nicht zufrieden sei, hat er ihr gesagt, könne sie sich ja was anderes suchen. An diesem Tag hat sie in seinen Kaffee gespuckt, vorsichtig umgerührt, damit sich der Speichel gut auflöst, und ihm das Ganze dann gebracht, an den Tagen darauf machte sie es genauso. Ihr Chef ist fett und schmutzig, er würde Vater und Mutter umbringen, um einen Euro zu sparen, er bescheißt die Gäste und hängt den ganzen Tag am Telefon, um dunkle Geschäfte zu besprechen. Das sagt sie. Er wirft ihr vor, sie arbeite nicht schnell genug, sie brauche zu viel Zeit für die einzelnen Zimmer, obwohl doch noch die Wäsche gemacht und Flure und Eingang geputzt werden müssten. Zum Ausgleich für ihre Langsamkeit könne sie ruhig ein wenig zusätzlich arbeiten. Der Barkeeper wurde entlassen, und da noch kein Nachfolger eingestellt wurde, muss No jeden Abend die Gäste bedienen, bis um 19 Uhr der andere Barkeeper kommt. Sie will nicht mit meinen Eltern darüber sprechen. Nicht schlimm, sagt sie, aber ich bin sicher, ihr Chef hält sich nicht so richtig ans Arbeitsrecht und all diese Sachen.

Lucas hat mir ein Heft mit festem Einband geschenkt, es ist wie ein Buch mit leeren Seiten, und einen Filzstift mit einer speziellen Spitze, mit der man wie mit einer Kalligraphiefeder schreibt. Er hat mich mitgenommen, um alte CDs und eine neue Jacke zu kaufen. Er hat gesagt, er wolle mich in ein Restaurant bei ihm in der Nähe einladen, er sei mit dem Wirt bekannt, und eines Tages würden wir beide in Urlaub fahren, mit einem Camping-Gaskocher, vielen Büchsen Ravioli, einem Iglu-Zelt und so. Und neulich habe ich wirklich geglaubt, er würde Gauthier de Richemont zusammenschlagen, weil der mich auf dem Hof angerempelt und sich danach nicht entschuldigt hatte.

Seine Mutter ruft hin und wieder an und fragt, ob alles in Ordnung sei, er möchte, dass ich sie kennenlerne, einmal hörte ich, wie er sie fragte, ob sie am Wochenende kommen werde, danach war er sauer, das sah ich, aber ich wollte ihm keine Fragen stellen. Meine Eltern sind froh, dass ich mich mit einem Klassenkameraden angefreundet habe, um genauere Angaben zu seinem Alter und zu seiner schulischen Situation habe ich mich gedrückt. Wenn ich zu ihm gehe, erzähle ich ihm von No, von dem Ärger mit ihrem Chef, wir malen uns Komplotte, Rachefeldzüge und Strafen aus, das Drehbuch ist jedes Mal neu, aber es endet immer gleich, wir werden ihm die Autoreifen aufstechen, uns Strumpfmasken überziehen und ihm wie im Film an einer Straßenecke auflauern, wir werden ihn so erschrecken, dass er uns das ganze Geld aus der Kasse gibt, aus dem Hotel flieht und nie wiederauftaucht. Dann wird No nach einem Jahr und einem Tag Hotelbesitzerin, sie lässt die Fassade restaurieren und innen alles neu streichen, gewinnt eine anspruchsvolle internationale Kundschaft, man muss Monate im Voraus bei ihr reservieren, sie verdient viel Geld und veranstaltet Tanzabende, eines Tages lernt sie einen englischen Rockstar kennen, die beiden verlieben sich bis über beide Ohren, sie eröffnet eine Dependance mitten in London und pendelt zwischen den beiden Hauptstädten. Oder aber Loïc kehrt zurück, er verlässt Irland, um mit ihr zusammenzuleben.

Was ich an Lucas mag, ist seine Fähigkeit, sich die unglaublichsten Geschichten auszudenken und stundenlang darüber zu sprechen, mit allen möglichen Einzelheiten, als könnte man sie dadurch Wirklichkeit werden lassen, oder einfach nur aus Freude an den Worten, wenn er sie so ausspricht, als wäre alles wahr. Auch wenn er das Fach Französisch nicht mag, Lucas ist wie ich, er kennt die Macht der Worte.

Neulich hat Monsieur Marin bei der Rückgabe der Hausarbeiten vor versammelter Klasse erklärt, ich sei eine Utopistin. Ich tat so, als hielte ich es für ein Kompliment. Ich schlug es im Wörterbuch nach. Danach war ich mir nicht mehr so sicher. Wenn Monsieur Marin in der Klasse auf und ab geht, mit hinter dem Rücken verschränkten Händen und gerunzelter Stirn, ist deutlich zu sehen, dass er die ganze echte Lebenswirklichkeit im Kopf hat, als Konzentrat. Die echte Wirklichkeit der Wirtschaft, der Finanzmärkte, der sozialen Probleme, der Ausgrenzung und so. Deshalb hält er sich ein wenig gebeugt.

Ich mag zwar Utopistin sein, aber trotzdem ziehe ich stets zusammenpassende Socken an, was bei ihm nicht immer der Fall ist. Und man wird mir nicht ausreden können, dass jemand, der imstande ist, sich vor dreißig Schülern in einer roten und einer grünen Socke zu präsentieren, zumindest mit einem Teil seines Kopfes in den Wolken lebt.

Anders als die meisten Leute mag ich die Sonntage, an denen man nichts zu tun hat. No und ich sitzen in der Küche, die Haare fallen ihr in die Augen, draußen sieht man einen blassen Himmel und unbelaubte Bäume. Sie sagt: Ich muss zu meiner Mutter.
»Wozu?«
»Ich muss hin.«

Ich klopfe an die Schlafzimmertür meiner Eltern, sie schlafen noch. Ich gehe ans Bett und flüstere meinem Vater ins Ohr: Wir möchten zum Flohmarkt in Montreuil gehen. No will nicht, dass ich die Wahrheit sage. Er steht auf, er könne uns hinbringen, bietet er an, aber das rede ich ihm mit wenigen Sätzen aus, er solle sich lieber ausruhen, über die Station Oberkampf kämen wir direkt mit der Metro dorthin. Im Flur zögert er, sieht uns beide an, eine nach der anderen, und ich setze eine vernünftige Miene auf und lächle.

Wir nehmen die Metro bis zur Gare d'Austerlitz und dann den RER bis Ivry, No wirkt angespannt, sie beißt sich auf die Lippe, ich frage mehrmals, ob sie sicher sei, dass sie hinwolle und dass es der richtige Zeitpunkt sei. Sie hat ihre verstockte Miene aufgesetzt, der Blouson ist bis zum Kinn geschlossen, die Hände sind in die Ärmel vergraben, und das Haar hängt ihr in die Augen. Als wir

aus dem Bahnhof kommen, gehe ich gleich zum Umgebungsplan, es macht mir Spaß, nach dem Pfeil *Sie sind hier* zu suchen, den roten Kreis inmitten der Kreuzungen und Straßen zu lokalisieren und mit Hilfe des Gitternetzes meinen Standpunkt genauer zu bestimmen, es ist wie beim Schiffeversenken, H4, D3, Treffer, versenkt, man könnte fast glauben, so sei die ganze Welt: vor einem aufgezeichnet.
Ich sehe, wie sie zittert, und stelle die Frage ein letztes Mal:
»Bist du sicher, dass du hinwillst?«
»Ja.«
»Bist du sicher, dass sie immer noch hier wohnt?«
»Ja.«
»Woher weißt du das?«
»Ich habe neulich angerufen, sie ist drangegangen. Ich habe gesagt, ich möchte Suzanne Pivet sprechen, und sie hat gesagt, am Apparat, dann habe ich aufgelegt.«

Es ist noch nicht Mittag, wir kommen in die Wohnanlage, und als wir vor dem Block stehen, zeigt sie mir das Fenster, hinter dem ihr Schlafzimmer lag, die Vorhänge sind zugezogen.
Wir gehen leise die Treppe hinauf, ich spüre, wie meine Beine unter mir nachgeben, ich bekomme kaum Luft. No klingelt ein Mal. Dann ein zweites Mal. Schleppende Schritte nähern sich der Tür, der Spion verdunkelt sich, einige Sekunden lang halten wir den Atem an, schließlich sagt No, ich bin's, Nolwenn. Wir hören aus größerer Entfernung eine Kinderstimme, Flüstern und dann wie-

der nichts. Auf der anderen Seite ist eine stumme, aufmerksame Gegenwart spürbar. Die Minuten vergehen. Da beginnt No, kräftig gegen die Tür zu treten und sie mit Faustschlägen zu bearbeiten, mein Herz jagt, ich habe Angst, die Nachbarn rufen die Polizei, sie hämmert mit allen Kräften gegen die Tür, ich bin's, schreit sie, mach auf, aber es geschieht nichts, deshalb ziehe ich sie nach einiger Zeit am Ärmel, ich versuche, mit ihr zu sprechen, ihre Hände, ihr Gesicht zu berühren, schließlich folgt sie mir, wir gehen nach unten, und zwei Stockwerke tiefer sackt sie plötzlich auf den Boden, sie ist so blass, dass ich fürchte, sie könnte ohnmächtig werden, sie atmet schwer und zittert am ganzen Körper, selbst durch die beiden Blousons ist zu sehen, dass es zu viel ist, zu viel Schmerz, sie hämmert weiter gegen die Wand, eine Hand beginnt zu bluten, ich setze mich neben sie und nehme sie in die Arme.

»No, hör zu, deine Mutter hat nicht die Kraft, dich zu sehen. Vielleicht würde sie es gern, kann es aber nicht.«

»Es ist ihr scheißegal, Lou, verstehst du, es ist ihr scheißegal.«

»Nicht doch, ich bin sicher, das stimmt nicht …«

Sie rührt sich nicht mehr. Wir müssen da weg.

»Weißt du, das zwischen Eltern und Kindern ist immer komplizierter, als man denkt. Wir beide sind zusammen, oder? Ja oder nein? Du hast es doch gesagt. Komm mit mir. Los, komm. Steh auf und lass uns hier weggehen.«

Wir gehen die letzten Stockwerke hinunter, ich halte sie am Handgelenk fest. Auf der Straße zeichnet das Sonnenlicht unsere Schatten auf den Boden, sie dreht sich zu dem Block um, am Fenster erkennen wir ein Kindergesicht, es ist sofort wieder verschwunden, wir gehen zum Bahnhof, die Straßen sind menschenleer, aus der Ferne meine ich die Geräusche eines Marktes zu hören.

Tante Sylvies Mann hat eine neue Frau kennengelernt und will sich scheiden lassen. Mein Vater hat beschlossen, dass wir in den Februar-Ferien für drei oder vier Tage zu ihr fahren. Sie braucht Unterstützung. Meine Mutter ist ausnahmsweise einverstanden.
Obwohl wir schon seit Ewigkeiten nicht mehr aus Paris weggefahren sind, bin ich nicht sonderlich begeistert. Vor allem, weil No ihrer Arbeit wegen nicht mit uns fahren kann. Ich habe zwar versucht, die Möglichkeit ins Gespräch zu bringen, dass ich bei ihr bleiben könnte, weil ich doch so viel für die Schule zu tun hätte, ich habe sogar behauptet, ich hätte Experimente begonnen, die ich unbedingt selbst zu Ende bringen müsste, aber sie wollten nichts davon wissen. Am Abend hörte ich, wie meine Eltern diskutierten, ob man No ganz allein in der Wohnung lassen könnte, sie sprachen leise, ich konnte also nur Bruchstücke verstehen, aus denen ich schloss, dass meine Mutter eher dafür war und mein Vater nicht so sicher.

Wir sind in ihrem Zimmer, ihre Klamotten liegen auf dem Boden, das Bett ist ungemacht. No steht, auf einen Ellbogen gestützt, am Fenster und raucht.
»Nächste Woche fahren wir für ein paar Tage weg, in die Dordogne, zu meiner Tante, sie ist die Schwester meines Vaters. Sie ist superunglücklich, weil ihr Mann sie sitzen-

lassen hat, mit meinen Vettern und so, es ist nicht so einfach …«
»Für wie lange?«
»Nicht sehr lange, nur ein paar Tage. Keine Sorge, du kannst hierbleiben.«
»Ganz alleine?«
»Ja, schon … Aber es ist ja nicht für lange.«

Einige Sekunden lang schweigt sie, sie beißt sich auf die Unterlippe, das ist mir auch schon früher aufgefallen, wenn ihr etwas nicht passt, ist sie imstande, sich auf die Lippe zu beißen, bis es blutet.
»Und du, kannst du nicht hierbleiben? Musst du unbedingt mit?«
Solche Sachen zerreißen mir das Herz. Sie schnippt die Kippe aus dem Fenster und streckt sich auf dem Bett aus, die Hände im Nacken verschränkt, sie sieht mich nicht an. Ich bleibe bei ihr und versuche, von etwas anderem zu reden, aber es ist da, über uns, es liegt in der Luft und wird immer dicker, ich habe das schreckliche Gefühl, sie im Stich zu lassen.

Mein Vater hat ihr einen regelrechten Vortrag gehalten über Vertrauen, Verantwortungsgefühl und die Zukunft und so, fast wie ein Parteivorsitzender, nur hatte er kein Mikro. Man merkt gleich, dass mein Vater im Büro ein Team von fünfundzwanzig Mitarbeitern dirigiert, manchmal färbt es auf sein Verhalten zu Hause ab, er hat eine Vorliebe für Planungen, Projekte, Wachstumskurven, ein Wunder, dass wir am Ende des Jahres nicht zu einem Evaluierungsgespräch unter vier Augen gebeten werden. Als meine Mutter sehr krank war, war das schwieriger, aber nun, wo sie wieder zu Kräften kommt, bastelt er wieder an einem Vierphasen-Programm zur Rückkehr ins Leben.

Ich finde ja, dass er ein bisschen übertrieben hat, was No angeht, aber sie wirkte danach sehr ernst, sehr betroffen, sie nickte, ja, sie werde gut auf die Schlüssel aufpassen, ja, sie werde die Post aus dem Kasten holen, ja, sie werde jeden Tag anrufen, ja, sie werde den Müll runterbringen, ja, es sei ihr klar, dass sie niemanden einladen solle. Mir ist aufgefallen, dass jemand, der den Leuten fünfzig Mal sagt, er habe Vertrauen zu ihnen, sich da häufig gar nicht so sicher ist. Aber No wirkte nicht verstimmt, nur ein bisschen besorgt.

Morgen fahren wir. Heute Abend soll sich No mit mir bei Lucas zu einer kleinen Party treffen. Ich habe meine

Sachen gepackt, alles ist in Ordnung, bis auf diesen kleinen Knoten im Bauch, ich kann nicht recht herausfinden, woraus er besteht, dieser kleine Knoten, der mir Angst macht oder wehtut oder beides. No klingelt, sie hat sich von der Arbeit wegschleichen können, als Lucas die Tür aufmacht, sagt er *Wow!*, sie hat ihren Minirock an und ist geschminkt, so sehe ich sie zum ersten Mal, auf hochhackigen Schuhen, sie ist schön wie eine Manga-Figur mit ihrem schwarzen Haar, der hellen Haut und den riesigen Augen. Wir waren schon lange nicht mehr alle drei zusammen, Lucas geht einkaufen, ihren Lieblingskuchen und Cidre, weil sie den so gern trinkt. Ich trinke auch welchen, mindestens drei oder vier Gläser, Wärme verbreitet sich in meinem Bauch, der kleine Knoten löst sich auf, wir ziehen die Vorhänge zu, wir setzen uns alle drei aufs Sofa, wie früher, wir schmiegen uns aneinander und sehen eine DVD, die Lucas ausgesucht hat. Es ist die Geschichte einer tauben jungen Frau, die in einem Unternehmen arbeitet und von der niemand weiß, dass sie ein Hörgerät trägt. Sie stellt einen Praktikanten ein, er kommt aus dem Gefängnis, sie verliebt sich in ihn, er benutzt sie für einen großen Coup, weil sie von den Lippen lesen kann, sie tut alles, was er von ihr verlangt, sie wird seine Komplizin, geht ungeheure Risiken ein, sie vertraut ihm, sie liebt ihn und so, aber am Tag des Einbruchs entdeckt sie, dass er ohne sie wegwill, er hat nur ein einziges Flugticket gekauft. Trotzdem lässt sie ihn nicht im Stich, sie zieht es ganz durch, und am Schluss ist sie diejenige, die ihn rettet. Am Ende küsst er sie, und wahrscheinlich wird sie zum ersten Mal

in ihrem Leben von einem Jungen geküsst, es ist eine wunderbare Szene, weil man weiß, er wird sie nicht verlassen, er hat begriffen, wie sie ist, wie stark und beständig.
Im Dunkeln haben wir die Uhr nicht gesehen, es ist schon sehr spät, als wir bei Lucas aufbrechen, ich rufe meine Eltern an und sage, wir kämen gleich. Unterwegs sagt No nichts, ich nehme ihre Hand.
»Irgendwas nicht in Ordnung?«
»Nein, alles o.k.«
»Willst du's mir nicht sagen?«
» …«
»Hast du Angst, allein zu bleiben?«
»Nein.«
»Weißt du, wenn wir zusammen sind, musst du's mir auch sagen, damit ich dir helfen kann.«
»Du hast mir schon sehr geholfen. Das ist nicht das Problem. Aber du hast deine Eltern, deine Klasse, deine Familie, du hast dein Leben, verstehst du …«
Ich spüre, dass meine Stimme zittrig wird.
»Nein, das verstehe ich nicht.«
»Doch, das verstehst du sehr gut.«
»Aber du bist doch auch Teil meines Lebens. Du siehst es doch, du siehst doch, dass ich dich brauche … und außerdem … außerdem gehörst du zu unserer Familie …«
»Ich gehöre nicht zu deiner Familie, Lou. Genau das musst du verstehen, ich werde nie zu deiner Familie gehören.«

Sie weint. Sie steht im eisigen Wind und versucht, ihr Schluchzen zu unterdrücken.

Wir gehen schweigend weiter, und ich weiß jetzt, dass ihr etwas zugestoßen ist, etwas, das man nicht sagen kann, etwas, das einen umwirft.

Tante Sylvies Haarknoten saß völlig schief. Ausnahmsweise gab sie meiner Mutter keine guten Ratschläge, wahrscheinlich hatte sie mit einem Mal begriffen, dass man nicht immer froh und munter wirken und sich um die Küche, den Haushalt, die Bügelwäsche, die Gespräche und alles kümmern kann, sie hat übrigens auch ihr allzeit bereites Lächeln verloren und vergessen, den Lippenstift aufzutragen, der den ganzen Tag hält. Ehrlich, es tat mir leid, sie in diesem Zustand zu sehen. Sie brachte es nicht einmal mehr fertig, mit meinen Cousins zu schimpfen, was diese weidlich ausnutzen, in ihrem Zimmer herrscht ein nie da gewesenes Chaos, und sie reagieren kaum, wenn sie nach ihnen ruft.
Wie vereinbart, rief No an den ersten beiden Tagen an. An den letzten beiden hörten wir dann nichts mehr von ihr. Mein Vater versuchte, sie zu Hause anzurufen, aber sie ging nie dran, weder morgens noch abends, nicht einmal nachts. Er rief die Nachbarin aus dem Stockwerk darüber an, sie lauschte an der Tür, hörte aber nichts. Er beschloss, sich nicht verrückt zu machen, wir hatten vor, am Donnerstag nach Hause zu fahren, also würden wir am Donnerstag nach Hause fahren. Mir schien das unendlich lange hin zu sein, ich hatte nicht einmal mehr Lust, mit meinen Cousins zu spielen, dabei haben die immer haufenweise Ideen für Baustellen im Garten, für Tunnels, Bewässerungssysteme und botanische Lehr-

pfade, die tollsten Sachen, die man in Paris nicht machen kann. Ich saß die ganze Zeit drinnen und las Liebesromane, meine Tante hat eine ganze Sammlung, *Mut zur Liebe, Flitterwochen auf Hawaii, Die Schöne und der Korsar, Célias Schatten* und so weiter und so fort. Ich habe mich ein, zwei Mal auf einen Spaziergang eingelassen und mich am Gemüseputzen und ein paar Trivial-Pursuit-Runden beteiligt, um meine Anwesenheit unter Beweis zu stellen. Meine Eltern kümmerten sich intensiv um meine Tante, stundenlang hörte man sie diskutieren, der reinste Kriegsrat.

Mit einem dicken Seufzer der Erleichterung stieg ich ins Auto, und dann war da wieder der kleine Knoten in meinem Bauch, während der ganzen Fahrt wuchs und wuchs er, ich hielt nach den Schildern mit der Entfernung bis Paris Ausschau, wir kamen nicht weiter, wir verloren Zeit, dabei war ich mir sicher: Es war ein Rennen gegen die Uhr. Die meisten Leute sagen hinterher, sie hätten böse Vorahnungen gehabt. Sobald sich erweist, dass sie recht hatten. Aber ich hatte echte böse Vorahnungen, *vorher*.

Mein Vater legte unterwegs Klassik-CDs ein, es ging mir auf die Nerven, denn er hört immer trauriges Zeugs mit glasklaren Stimmen, die einem zeigen, wie sehr die Welt in Unordnung ist. Meine Mutter war eingeschlafen, eine Hand auf seinem Oberschenkel. Seit es ihr bessergeht, kommen sie sich wieder näher, das sehe ich, sie küssen sich in der Küche und kichern verschwörerisch.

Aber ich hatte Angst. Angst, dass No weg wäre. Angst, ganz allein zu sein, wie vorher. Schließlich schlief ich ein, wegen der Bäume, die wie eine lichterlose Girlande blitzschnell vorüberhuschten. Als ich wieder aufwachte, waren wir schon auf dem Autobahnring, es war sehr heiß im Wagen, ich sah auf die Uhr, bald zwanzig Uhr, No musste schon zu Hause sein. Mein Vater hatte sie noch am selben Morgen anzurufen versucht, aber sie war nicht drangegangen.

Es staute sich auf dem Ring, wir kamen nur im Schritttempo voran, durchs Fenster sah ich die Lager der Obdachlosen auf den Böschungen und unter den Brücken, ich sah die Zelte, Bleche und Baracken, das hatte ich noch nie gesehen, ich hatte nicht gewusst, dass es das gab, direkt an der Straße, mein Vater und meine Mutter sahen starr geradeaus, da leben Leute, dachte ich, im Motorenlärm, im Schmutz und in den Abgasen, mitten im Nirgendwo leben Leute, Tag und Nacht, hier in Frankreich, Porte d'Orléans oder Porte d'Italie, seit wann? Mein Vater wusste es nicht genau. Seit zwei oder drei Jahren hätten sich die Lager vermehrt, es gebe sie überall, ringsum, vor allem im Osten von Paris. So sind sie also, *die Dinge*, dachte ich. Die Dinge, gegen die man nichts tun kann. Wir sind imstande, sechshundert Meter hohe Wolkenkratzer zu bauen, Untersee-Hotels und künstliche Inseln in Palmenform, wir sind imstande, »intelligente« Baumaterialien zu entwickeln, die organische und anorganische Schmutzpartikel aus der Luft aufnehmen, wir sind imstande, selbsttätig agierende Staubsauger zu erfinden und Lampen, die ganz von allein angehen, wenn man nach Hause kommt. Wir sind imstande, Leute am Rand des Autobahnrings leben zu lassen.

Meine Mutter war es, die die Tür aufschloss, wir betraten die Wohnung, auf den ersten Blick war alles normal, die Vorhänge waren zugezogen, die Gegenstände standen an ihrem Platz, nichts fehlte. Nos Tür stand offen, das Bett war ungemacht, ihre Sachen im Zimmer verstreut. Ich sah im Schrank nach, der Koffer war noch da. Das war immerhin etwas. Dann erst sah ich die umgekippten Schnapsflaschen auf dem Boden, mein Vater stand hinter mir, ich hatte nicht mehr die Zeit, sie zu verstecken. Wodka- und Whiskyflaschen und leere Medikamentenpackungen.

Da dachte ich an die Adverbien und Konjunktionen, die einen Bruch in der Zeit (plötzlich, mit einem Mal) oder einen Gegensatz (nichtsdestotrotz, andererseits, hingegen, jedoch) ausdrücken oder einen Konzessivsatz einleiten (während, selbst wenn, wenn auch), ich dachte nur noch daran, ich versuchte, sie im Kopf aufzuzählen, ein Inventar anzulegen, ich konnte nichts sagen, gar nichts, weil rings um mich alles verschwamm, die Wände und das Licht.

Da dachte ich, dass die Grammatik alles eingeplant hat, Enttäuschungen und Niederlagen und ganz allgemein beschissene Situationen.

Wenn man nachts nicht schlafen kann, dann vermehren sich die Sorgen, sie schwellen an und wachsen, je mehr die Zeit voranschreitet, desto düsterer werden die Tage, die vor einem liegen, das Schlimmste wird zum Erwartbaren, nichts scheint mehr möglich, überwindbar, nichts scheint mehr ruhig. Die Schlaflosigkeit ist die dunkle Seite der Phantasie. Ich kenne diese dunklen, geheimen Stunden. Morgens wacht man benommen auf, die Katastrophenszenarios erscheinen einem nur noch absurd, der Tag wird die Erinnerung daran auslöschen, man steht auf, wäscht sich und denkt, man wird's schon schaffen. Doch manchmal macht die Nacht eine klare Ansage, manchmal enthüllt die Nacht die einzige Wahrheit: Die Zeit vergeht, und *die Dinge* werden nie wieder sein, wie sie waren.

No kam in den ersten Morgenstunden zurück, ich schlief nur halb, ich hatte die Tür meines Zimmers offen gelassen, damit ich sie nicht verpasste. Ich hörte den Schlüssel im Schloss, das Geräusch war sehr leise, sehr sanft und drang erst in meinen Traum ein, ich sah meine Mutter in meinem Zimmer, sie trug das Nachthemd, das sie im Krankenhaus anhatte, als Thaïs zur Welt kam, es war vorne offen, ihre nackten Füße waren weiß in der Dunkelheit, ich schrak aus dem Schlaf, sprang aus dem Bett und lief in den Flur, mit einer Hand strich ich an der Wand entlang, um mich zu orientieren, durch die offene Tür sah ich, wie No die Schuhe auszog und sich dann vollständig angezogen aufs Bett legte, sie machte sich nicht einmal die Mühe, ihre Jeans auszuziehen. Ich machte einige Schritte in ihre Richtung, ich hörte sie weinen, es war wie ein Schluchzen der Wut und der Ohnmacht, ein zugleich durchdringender und heiserer Klang, unerträglich, ein Klang, wie er nur in der Stille entstehen kann, wenn man sich allein glaubt. Auf Zehenspitzen trat ich den Rückzug an. Hinter meiner Tür blieb ich stehen, mir war kalt, ich konnte mich nicht mehr rühren, ich sah meinen Vater in Nos Zimmer gehen, eine Stunde lang hörte ich seine Stimme, leise und fest, ich war zu weit entfernt, um etwas zu verstehen, und Nos Stimme, sie war noch leiser.

Ich stand früh auf, No schlief noch, sie hatte am späten Vormittag einen Termin bei ihrer Sozialarbeiterin, sie hatte ihn schon vor Wochen auf der Schiefertafel neben dem Kühlschrank notiert. Es war ihr freier Tag. Ich ging in die Küche, wo mein Vater vor seiner Kaffeetasse saß, ich schüttete Milch in meine Schale, griff nach der Müslipackung und setzte mich ihm gegenüber, ich sah mich um, jetzt war nicht der richtige Moment, um mein Experiment über die Saugfähigkeit von Schwämmen unterschiedlicher Hersteller fortzusetzen oder eine neue Testreihe zur Bestimmung der Stärke der Magnete an den Schranktüren zu beginnen. Jetzt war der rechte Moment, um das zu retten, was noch zu retten war. Mein Vater beugte sich mir entgegen.

»Weißt du etwas, Lou?«
»Nein.«
»Hast du sie zurückkommen hören?«
»Ja.«
»Solche Flaschen, war es das erste Mal?«
»Ja.«
»Hat sie Probleme an ihrer Arbeitsstelle?«
»Ja.«
»Hat sie dir davon erzählt?«
»Ein bisschen. Nicht richtig.«
Es gibt Momente, in denen man spürt, dass die Wörter einen auf gefährlich abschüssiges Gelände führen und einen Dinge sagen lassen, die man besser für sich behalten hätte.
»Geht sie noch zur Arbeit?«
»Ich glaube ja.«
»Weißt du, Lou, wenn es nicht gut funktioniert, wenn No unsere Lebensweise nicht respektiert, wenn *Maman* und ich denken, dass es nicht gut für dich ist, dass es eine Gefahr für dich bedeutet, dann kann sie nicht bleiben. Das habe ich ihr gesagt.«
» …«
»Verstehst du das?«
»Ja.«

Ich sah, wie es immer später wurde und No immer noch nicht aufstand, obwohl sie doch den Termin bei der Sozialarbeiterin hatte. Ich sah den Augenblick kommen, in dem mein Vater einen Blick auf die Uhr werfen und denken würde, da haben wir's, das ist der Beweis dafür, dass es nicht mehr geht, dass es aus dem Ruder läuft, dass man sich nicht mehr auf sie verlassen kann. Ich stand auf und sagte, ich geh sie wecken, sie hat gesagt, dass ich das tun soll.

Ich ging an ihr Bett, da war dieser Geruch, den ich nicht identifizieren konnte, ein Geruch nach Alkohol oder nach Medikamenten, ich trat versehentlich auf die Sachen, die auf dem Boden lagen, und als meine Augen sich an die Dunkelheit zu gewöhnen begannen, sah ich, dass sie sich in den Bettüberwurf gerollt hatte. Ich schüttelte sie sanft, dann heftiger, es dauerte sehr lange, bis sie die Augen öffnete. Ich half ihr, das T-Shirt zu wechseln und einen Pullover überzuziehen, ich hörte, wie mein Vater die Wohnungstür zuschlug. Ich ging zurück in die Küche und machte Kaffee. Ich hatte den ganzen Tag Zeit. Ich hätte gern Lucas angerufen, aber er war für die ganzen Ferien zu seiner Großmutter gefahren.

No stand schließlich auf, den Termin hatte sie schon verpasst. Ich nahm einen Lappen und wischte die Tafel sauber, wegen der bedrückenden Stille stellte ich das Radio an. Später schloss sie sich zwei Stunden lang ein, um zu baden, man hörte nur, dass hin und wieder heißes Wasser lief, schließlich klopfte meine Mutter an die Tür und fragte, ob alles in Ordnung sei.

Gegen zwölf ging ich zu ihr ins Zimmer, ich versuchte, mit ihr zu reden, aber sie schien mich nicht zu hören, am liebsten hätte ich sie mit aller Kraft geschüttelt, stattdessen sah ich sie wortlos an, ihr Blick war leer.

Da dachte ich an *Mamans* Blick nach Thaïs' Tod, wie er damals auf den Gegenständen und den Menschen ruhte, ein toter Blick, ich dachte an alle toten Blicke der Erde, Millionen Blicke ohne Glanz und Licht, verlorene Blicke, die nichts reflektieren, nur noch die Komplexität der Welt, einer mit Tönen und Bildern gesättigten und doch so armen Welt.

No hat jetzt einen anderen Job im Hotel, sie arbeitet nachts. Bis zwei Uhr bedient sie an der Bar, und dann bleibt sie bis zum Morgen, um die Gäste ins Hotel hereinzulassen. Es wird besser bezahlt. Es gibt Trinkgelder. Seit einer Woche begegnet mein Vater ihr unten vor der Haustür, wenn er zur Arbeit geht, oft hilft er ihr noch bis hinauf zur Wohnung, sie bricht auf dem Bett zusammen, nie zieht sie sich aus. Einmal hat er sie in der Eingangshalle aufgelesen, ihre Strumpfhose war zerrissen, die Knie aufgeschlagen, er hat sie nach oben getragen, ihr den Kopf unter die Dusche gehalten und sie dann ins Bett gelegt.

Sie schläft den ganzen Tag. Mein Vater sagt, sie trinkt Alkohol und schluckt Medikamente. Er hat Kontakt zu ihrer Sozialarbeiterin aufgenommen, sie kann nicht viel tun, wenn No nicht mehr zu ihr kommt. Einmal habe ich sie in der Küche erwischt, meine Mutter und ihn, mitten in einer ernsten Diskussion, bei meinem Eintreten verstummten sie und nahmen ihr Gespräch erst wieder auf, als ich die Tür wieder hinter mir geschlossen hatte. Ich hätte zu gern ein oder zwei Mikros unter einem Lappen versteckt.

Ich bringe es nicht fertig, etwas zu unternehmen und die Ferien zu genießen, ich bleibe zu Hause und trödele den

ganzen Tag herum, ich sehe fern, blättere in den Zeitschriften und horche auf Geräusche aus Nos Zimmer, um ihr Aufwachen nicht zu verpassen.
Sie kommt nicht mehr in mein Zimmer, und wenn ich am frühen Abend an ihre Tür klopfe, liegt sie zusammengekrümmt auf dem Bett.
Meine Mutter hat versucht, sie zum Reden zu bringen, ihr Fragen zu stellen. No hat die Augen niedergeschlagen, wie sie es so gut kann, um den Blicken auszuweichen. Sie kommt nicht mehr in die Küche, auch nicht mehr ins Wohnzimmer, sie huscht ins Badezimmer, wenn sie sicher ist, niemandem zu begegnen. Abends isst sie mit uns, bevor sie wieder ins Hotel geht, es ist dieselbe Szene wie vor einem Monat, dasselbe Licht, dieselben Plätze, dieselben Bewegungen, aus der Vogelperspektive könnten die Bilder miteinander verschwimmen, sich gegenseitig überlagern, aber aus meiner Perspektive lässt sich erkennen, wie sehr sich die Luft verändert hat, wie schwer sie geworden ist.

Ich weiß auch nicht, warum ich gestern Abend beim Einschlafen an den *Kleinen Prinzen* gedacht habe. Genauer gesagt, an den Fuchs. Der Fuchs bittet den Kleinen Prinzen, ihn zu zähmen. Doch der Kleine Prinz weiß nicht, was das bedeutet. Da erklärt es ihm der Fuchs, ich kenne die Passage auswendig: *Du bist für mich noch nichts als ein kleiner Knabe, der hunderttausend kleinen Knaben völlig gleicht. Ich brauche dich nicht, und du brauchst mich ebenso wenig. Ich bin für dich nur ein Fuchs, der hunderttausend Füchsen gleicht. Aber wenn du mich zähmst, werden wir einander*

brauchen. Du wirst für mich einzig sein in der Welt. Ich werde für dich einzig sein in der Welt …
Vielleicht kommt es allein darauf an, vielleicht genügt es, wenn man jemanden findet, den man zähmt.

Heute Morgen fängt die Schule wieder an, draußen ist es dunkel, Kaffeeduft zieht durch die Küche. No sitzt meinem Vater gegenüber, ihr Gesicht ist blass und müde, wahrscheinlich ist sie gerade erst zurückgekommen. Die Fäuste meines Vaters liegen auf dem Tisch wie zwei entsicherte Handgranaten. Er steht auf, er wirkt wie jemand, der die Lage wieder im Griff hat. Was unter den derzeitigen Umständen keineswegs beruhigend ist.
Mein Wecker hat gerade geklingelt, ich bin noch im Nachthemd, barfuß, No geht weg, sagt er. Ich glaube wirklich, er wiederholt es mehrere Male, weil ich nicht reagiere. No geht in eine Einrichtung, wo man sich um sie kümmern wird. Sie braucht Hilfe. No schweigt. Sie sieht auf den Tisch. Ich ziehe den Hocker heran, ich setze mich, das Atmen fällt mir schwer, also konzentriere ich mich darauf, ich verlangsame es, öffne wie ein Goldfisch den Mund, um die Luft in kleinen Mengen aufzunehmen, ich spreize meine Finger wie Schwimmflossen, um der Strömung zu widerstehen, ich stemme die Fußflächen fest auf den Kachelboden der Küche.
»Verstehst du, Lou? Hast du das verstanden?«
Ich habe keine Lust zu antworten. Ich habe keine Lust, es zu hören, auch nicht den Rest, die Geschichten mit der Sozialarbeiterin, dem Entzug, all diese sinn- und zwecklosen Worte, mikroskopisch kleine, Übelkeit erregende

Algen auf der Oberfläche des Meeres. Wir hatten gesagt, wir würden No helfen, wir, bis ans Ende, wir hatten gesagt, wir würden für sie da sein, wir hatten gesagt, wir würden die Brocken nicht hinwerfen. Ich will, dass sie bleibt, ich will, dass wir uns tapfer schlagen, ich will, dass wir uns widersetzen. Unter der Tischplatte bohre ich meine Fingernägel in die Handflächen, ganz tief, damit der Schmerz abgelenkt wird, damit er sich konzentriert und dort zusammenfließt, wo er eine sichtbare Spur hinterlässt, eine Spur, die heilen kann.

Ich dusche, ziehe mich an, nehme meine Schultasche und lasse sie sitzen, alle beide, mein Vater spricht noch mit ihr, No antwortet nicht, wenn ich könnte, würde ich ihr sagen, dass sie bloß das zu machen braucht, was ich als Kind immer machte, die Hände auf die Ohren pressen, um alles auszulöschen, die Geräusche und den Tumult zum Schweigen zu bringen, die dröhnende Welt zum Schweigen zu bringen.

Ich renne zur Bushaltestelle, ich habe Angst, ich könnte zu Monsieur Marins Stunde zu spät kommen, ich habe keinen Bissen gegessen, mir dreht sich der Kopf, ich steige hinten ein und schlängele mich zwischen den Leuten durch, über mir vermischen sich all die Worte und das Motorengeräusch und der Straßenlärm, die Adern in meinen Schläfen pochen, ich starre auf die elektronische Anzeige mit den Namen der Haltestellen, die wir passieren, und mit der geschätzten Fahrtdauer bis zur Endhaltestelle, ich sehe nichts anderes mehr, die roten Buch-

staben, die von links nach rechts defilieren, ich zähle die Silben, um nicht zu weinen.
Unmittelbar nach dem Klingeln betrete ich die Schule. Lucas erwartet mich unten an der Treppe, mit brennenden Augen gehe ich auf ihn zu, als ich bei ihm ankomme, umschließen mich seine Arme, plötzlich spüre ich das Gewicht meines winzigen Körpers an seinem und seinen Atem in meinem Haar.

Bücher haben Kapitel, um die einzelnen Phasen sauber zu trennen, um zu zeigen, dass die Zeit vergeht oder die Lage sich weiterentwickelt, und manchmal sogar Teile mit verheißungsvollen Titeln, *Begegnung, Hoffnung, Ende*, sie sind wie Bilder. Doch im Leben gibt es gar nichts, keine Titel, keine Warntafeln und Hinweisschilder, kein *Achtung – Gefahr, häufiger Steinschlag* oder *drohende Desillusionierung*. Im Leben ist man ganz allein in seinem Kostüm, und es ist eben Pech, wenn es ganz zerrissen ist.

Ich hätte sonst was getan, damit No bei uns geblieben wäre. Ich wollte, dass sie zu unserer Familie gehörte, sie sollte ihr Geschirr haben, ihren Stuhl, ihr Bett, in der richtigen Größe, ich wollte Sonntage in Winterfarben, den aus der Küche dringenden Duft der Suppe. Ich wollte, dass unser Leben wäre wie das der anderen. Jeder sollte seinen Platz am Tisch haben, seine Badezimmerzeit, seine Aufgabe im Haushalt, so dass man nur noch die Zeit vergehen zu lassen bräuchte.
Ich glaubte, man könne den Lauf der *Dinge* aufhalten, dem Programm entfliehen. Ich glaubte, das Leben könne anders sein. Ich glaubte, jemandem helfen heiße alles mit ihm teilen, auch das, was man nicht verstehen kann, auch das Düsterste. In Wahrheit bin ich nur eine *Madame Allwissend* (das sagt mein Vater immer, wenn er zornig ist),

ein erbärmlicher kleiner Plastik-Computer für Kinder, mit Spielen, Rätseln und Schatzsuchen und einer dämlichen Stimme, die die richtige Antwort gibt. In Wahrheit kann ich mir nicht einmal richtig die Schuhe zubinden und bin mit lauter beschissenen Funktionen ausgestattet, die zu nichts gut sind. In Wahrheit *sind die Dinge, wie sie sind*. Die Wirklichkeit gewinnt immer die Oberhand, und die Illusion rückt in die Ferne, ohne dass wir es merken. Die Wirklichkeit hat immer das letzte Wort. Monsieur Marin hat recht, man darf nicht träumen. Man darf nicht hoffen, die Welt verändern zu können, denn die Welt ist viel stärker als wir.

Mein Vater ist zur Arbeit gegangen, meine Mutter kauft ein, ich nehme an, No hat nicht lange gezögert. Was haben die denn geglaubt? Dass sie geduldig auf einen Platz in irgendeiner Entzugsklinik oder Wiedereingliederungseinrichtung warten würde? Dass man ihr das Problem nur zu erklären brauchte, jede Silbe betonend, nein, du kannst nicht bei uns bleiben, wir sind nicht mehr in der Lage, uns um dich zu kümmern, wir werden also wieder unser normales Leben aufnehmen, vielen Dank für deinen Besuch und bis zum nächsten Mal?

Als ich nach Hause kam, war sie nicht mehr da. Ich betrachtete das leere Zimmer, sie hatte das Bett gemacht und den Boden gesaugt, jeder Gegenstand war an seinem Platz, als hätte sie sich alles gemerkt, alles notiert, als hätte sie gewusst, dass eines Tages alles wieder in Ordnung gebracht werden müsste. Ich betrachtete den marokkani-

schen Teppich, auf dem sie so gern lag, die Lampe, die sie die ganze Nacht brennen ließ, ich dachte an ihren brechend vollen Rollenkoffer, der über den Bürgersteig holperte, ich dachte an die dunkle Nacht, an die verlassenen Straßen, ich schloss die Augen.
Die Kleider, die meine Mutter ihr geliehen hatte, liegen sorgfältig gefaltet auf dem Tisch. Sie hat das Medizinschränkchen geleert, das hat mein Vater mir gesagt, sie hat alles mitgenommen, was noch da war an Schlaftabletten und Beruhigungsmitteln.
Auf meinem Schreibtisch hat sie ihr Kinderbild hinterlassen, in einem schmutzigen Umschlag, ich sah nach, ob sie mir nicht etwas geschrieben hatte, aber da war nichts, nichts außer ihren Augen, die ins Objektiv sahen, die mich ansahen.

Lucas war ganz allein, er sah gerade fern, als No klingelte. In einer Hand hielt sie ihren Koffer und in der anderen ein paar Tüten, ihr Blouson war offen, sie trug nichts unter ihrem Pulli, man sah ihre weiße Haut, die Adern an ihrem Hals, er hat ihr die Sachen abgenommen und sie in die Wohnung gelassen. Sie stützte sich beim Gehen auf das Ablagetischchen, sie konnte sich kaum noch aufrecht halten, er brachte sie ins Schlafzimmer seiner Mutter, zog ihr Jeans und Schuhe aus, schlug die Bettdecke zurück und knipste das Licht aus. Er rief mich an, seine Stimme hatte diesen Gangsterton, ich begriff sofort.

Seine Mutter war einige Tage zuvor da gewesen, sie hatte den Kühlschrank aufgefüllt, ein paar Kleidungsstücke geholt, einen neuen Scheck ausgestellt und war wieder gegangen. Das gab uns Zeit.
Am nächsten Tag ging ich hin. No stand auf, als sie meine Stimme hörte, sie kam zu mir und nahm mich in die Arme, wir sagten nichts, kein Wort, wir standen einfach so da, ich weiß nicht, wer von uns beiden die andere stützte, wer von uns beiden die Schwächere war. Dann leerte No im Schlafzimmer ihren Koffer aus und verteilte die Sachen auf dem Boden: die Klamotten, die sie aus gemeinnützigen Kleiderkammern oder von Geneviève hatte, ein Schminktäschchen, ein Kinderbuch, das ihre

Großmutter ihr geschenkt hatte, ihren roten Minirock. Sie stellte den großen Aschenbecher aus dem Wohnzimmer auf den Nachttisch, drehte die gerahmten Fotos um, zog die Vorhänge zu und hat sie seither nie wieder geöffnet.
Mehrmals schon haben mich meine Eltern gefragt, ob ich von ihr gehört hätte, ich habe meine übliche traurige Miene aufgesetzt und nein gesagt.

Wir werden uns um sie kümmern. Wir werden niemandem etwas sagen. Wir werden dieses Geheimnis ganz für uns bewahren, denn wir haben die Kraft dazu.

Meine Mutter benutzt Wimperntusche und Lippenstift, sie hat sich neue Kleider gekauft, ihre Medikamente niedriger dosiert und mit dem Personalchef in ihrer alten Firma einen Termin vereinbart. Vielleicht wird sie wieder halbtags arbeiten. Mein Vater hat Thaïs' Zimmer in eine Baustelle verwandelt, er hat die Wände abgewaschen und den Teppichboden rausgerissen, um einen Laminatboden zu verlegen. Er sucht sich High-Tech-Möbel für ein schönes Arbeitszimmer aus. Abends blättern sie in Ikea- und Castorama-Katalogen, sie stellen Berechnungen an, schmieden Pläne und sprechen von Ferien und neuen Einrichtungen. Sie sind sich immer gleich einig, sie sitzen beide im Schneidersitz auf dem Sofa, als wäre das alles völlig normal, als wäre das immer so gewesen.

Ihrer Ansicht nach verbringe ich ein bisschen viel Zeit bei Lucas, deshalb muss ich mir Listen und Ausreden einfallen lassen, um später nach Hause kommen zu können. Ich arbeite mit François Gaillard an einem weiteren Referat, ich stelle Nachforschungen in der Bibliothek an, ich bin in der Vorbereitungsgruppe für den Tag der offenen Tür, ich helfe Axelle Vernoux, weil sie in Mathe Probleme hat. Ich habe nie erwähnt, dass Lucas allein lebt, und ich rede von seiner Mutter, als wohne sie auch in der Wohnung, damit sie keinen Verdacht schöpfen. Mein Vater hat mehrmals mit Nos Sozialarbeiterin telefoniert.

Er machte sich Sorgen. Sie hatte nichts mehr gehört, aber das sei oft so, sagte sie, wissen Sie, die Leute von der Straße sind unzuverlässig, sie kommen und gehen.

Zu Hause beschäftige ich mich, so gut ich kann. Ich habe meine Studie über Tiefkühlkost abgeschlossen. In der Tat lassen sich bei den meisten Gerichten gemeinsame Zutaten feststellen: Getreide-Gluten, Reisstärke, modifizierte Mais- oder Getreidestärke, eventuell auch Dinatriumdiphosphat oder Natriumbicarbonat. Bei dieser Gelegenheit habe ich auch gleich eine Zusatzstudie über Lebensmittelzusatzstoffe begonnen, ein unerschöpfliches Feld für Zusatzstudien. Emulgatoren, Geliermittel, Stabilisatoren, Konservierungsstoffe, Antioxidantien und Geschmacksverstärker bevölkern meine verlorene Zeit, die Zeit ohne No.

Wenn man zehn Mal eine Münze wirft, dann erhält man entweder häufiger Zahl oder häufiger Kopf. Aber wenn man eine Million Mal wirft, dann, so sagt man, erscheinen Zahl und Kopf mit gleicher Häufigkeit. Das ist das Gesetz der großen Zahlen. Und da ich die Gesetze und Lehrsätze gern selbst austeste, werfe ich eine Münze und mache Striche auf einem Zettel.

Ich habe für No eine riesige Girlande gebastelt, eine Girlande, die ihr gleicht, es hängt alles Mögliche daran: ein leerer Joghurtbecher, eine einsame Socke, ein Etui für eine Metro-Dauerkarte, ein lädierter Korkenzieher, ein Prospekt von einem Karate-Club, ein Netz für Ariel-Waschtabs, eine auf der Straße gefundene Betty-Boop-Spange, ein 10-RMB-Schein, den mein Vater aus China mitgebracht hat, eine Schweppes-Dose (leer), zerknüllte Alufolie, ein Marché-U-Rabattcoupon im Wert von 50 Cent. Die werde ich ihr schenken, wenn sie einen Ort hat, an dem sie sie aufhängen kann. In der Zwischenzeit habe ich sie in meinem Zimmer aufgehängt, meiner Mutter habe ich gesagt, es handle sich um Konzeptkunst, sie schien nicht sehr überzeugt.

Wenn ich morgens in die Schule komme, gibt Lucas mir einen Lagebericht. Wann sie zurückgekommen ist, in welchem Zustand, ob sie sich noch auf den Beinen halten konnte, ob sie mit ihm geredet hat. Wir sondern uns von den anderen ab, unterhalten uns leise, stellen Hypothesen auf und entwerfen Strategien. Lucas hat zwei Flaschen Wodka in die Spüle geschüttet, No war verrückt vor Wut, er hat ihr gesagt, in seiner Wohnung dürfe sie nicht trinken, seine Mutter könne eines Tages unverhofft vorbeischauen oder auch die Putzfrau, und es sei ohnehin schon riskant genug. Er hat ihr keinen Zweitschlüssel gegeben, er verlangt von ihr, dass sie zurückkommt, bevor er die Wohnung verlässt.
Seit sie nachts arbeitet, ist No nicht mehr die Alte, es ist etwas in ihrem Innern, etwas wie ungeheure Müdigkeit oder abgrundtiefer Abscheu, etwas, das für uns nicht greifbar ist. Jeden Abend nach dem Unterricht laufen wir schnell zur Metro, wir gehen schweigend die Treppen hinauf, Lucas schließt die Tür auf, und ich stürze ins Schlafzimmer, ich habe Angst, sie könnte tot sein oder das Zimmer leer, ohne eine Spur von ihren Sachen. No liegt auf dem Bett, sie schläft oder döst, ich betrachte ihre

bloßen Arme, die Ringe unter ihren Augen und möchte ihr Gesicht zwischen meine Hände nehmen, ihr das Haar streicheln, ich möchte, dass alles verschwindet.

Sie steht auf, wenn wir kommen, isst zwei oder drei Scheiben Brot, trinkt einen Liter Kaffee, duscht, zieht sich rasch an und kommt zu uns ins Wohnzimmer. Sie fragt, was wir erlebt haben, erkundigt sich besorgt, ob es draußen kalt ist, lobt meinen Rock oder meine Frisur, sie versucht, unbekümmert zu wirken, dreht sich eine Zigarette, setzt sich zu uns, mit abgehackten, ungeschickten Gesten. Ich bin sicher, auch sie denkt daran, an die Abende vor gar nicht so langer Zeit, an denen wir drei zusammen Filme gesehen und Musik gehört haben, sie denkt daran wie an etwas endgültig Vergangenes, Unwiederholbares, denn all das ist jetzt von einem Schleier bedeckt, unerreichbar.
Bevor sie aufbricht, schminkt sie sich, steckt ihr Haar zu einem Knoten auf, packt ihre hochhackigen Schuhe in eine Plastiktüte, dann zieht sie die Tür hinter sich zu. Wenn es nicht zu spät ist, begleite ich sie ein Stück, bevor ich nach Hause gehe, wir reden von diesem und jenem, wie früher, wir umarmen uns beim Abschied, sie deutet ein Lächeln an, und ich sehe ihre zarte Gestalt durch die Kälte davongehen, um eine Straßenecke biegen, ich weiß nicht, was sie erwartet, wohin sie sich begibt, ohne je zurückzuschrecken.

In der Schule unterhalten wir uns leise über sie, wir benutzen Codes zur Einschätzung der Lage, lächeln verschwörerisch, wechseln verständnisinnige Blicke. Fast könnte man meinen, es wäre wie im Krieg, als die Gerechten jüdische Kinder versteckten. Wir sind Widerstandskämpfer. Ich liebe Lucas' Gesichtsausdruck, wenn er morgens ankommt und mir schon von weitem leicht zunickt, zum Zeichen, dass alles halbwegs in Ordnung ist. Er mit seinem Mackergehabe kümmert sich um alles, er geht in den Supermarkt, putzt die Küche, räumt hinter ihr her und knipst das Licht aus, wenn sie eingeschlafen ist. Die Putzfrau kommt einmal in der Woche, vorher müssen Nos Sachen in den Schränken verschwinden, das Bett muss gemacht, das Zimmer gelüftet und jede Spur ihrer Anwesenheit getilgt sein. Wir sind perfekt organisiert. Wir haben ausgemacht, was wir am Telefon sagen, wenn seine Mutter anruft, wir haben Notfallszenarios und entsprechende Ausreden entworfen für den Fall, dass sie ohne jede Vorwarnung auftaucht, dass meine Eltern sich plötzlich in den Kopf setzen, mich abzuholen, dass Madame Garrige uns auf die Schliche kommt. Wir haben uns mit Vorwänden und Argumenten gewappnet.
Es gibt Tage, an denen No aufsteht, bevor wir aus der Schule kommen, sie sieht fern, während sie auf uns wartet, und empfängt uns mit einem Lächeln. Tage, an denen sie auf dem Sofa tanzt, an denen alles einfach erscheint,

weil sie da ist. Tage, an denen sie kaum ansprechbar ist, Tage, an denen sie den Mund nur aufmacht, um Scheiße, fuck off oder verfickt zu sagen, Tage, an denen sie gegen Stühle und Sessel tritt, Tage, an denen man am liebsten sagen möchte, wenn's dir nicht passt, dann geh doch heim. Das Problem ist nur, dass sie eben kein Heim hat. Das Problem ist, dass sie einzig ist, weil ich sie gezähmt habe. Ich bin sicher, dass auch Lucas sie mag. Auch wenn er mir manchmal ich hab's satt sagt oder wozu das Ganze. Auch wenn er manchmal sagt, wir sind nicht stark genug, Lou, wir schaffen es nicht.

Einmal begleite ich No abends bis zum Hotel, es ist dunkel, sie will mir einen ausgeben, für all die Male, die ich sie eingeladen habe, wir gehen in eine Bar. Ich sehe ihr zu, wie sie drei Wodka hintereinander kippt, es ist wie ein Schlag in meine Magengrube, aber ich wage nichts zu sagen. Ich wüsste nicht was.

An einem anderen Abend gehe ich neben ihr her, ganz in der Nähe der Bastille, ein Mann spricht uns an, Sie haben nicht ein wenig Kleingeld, bitte, er sitzt auf dem Bürgersteig, an die Schaufensterscheibe eines leerstehenden Geschäfts gelehnt, No wirft ihm einen Blick zu, dann gehen wir an ihm vorbei, ohne stehen zu bleiben. Ich stoße sie mit dem Ellbogen an, das ist doch Momo, dein Kumpel von der Gare d'Austerlitz! Sie bleibt stehen, zögert eine Sekunde, dreht sich dann um und geht zu ihm. Salut, Momo, sagt sie und hält ihm einen Zwanzig-Euro-Schein hin. Momo steht auf, kerzengerade steht er vor ihr und sieht sie von Kopf bis Fuß an, er nimmt den Schein nicht, er spuckt auf die Erde und setzt sich wieder. Ich weiß, was sie denkt, als wir weitergehen, zu dieser Welt gehört sie nicht mehr und zu unserer gehört sie auch nicht, sie ist weder draußen noch drinnen, sie ist dazwischen, da, wo nichts ist.

Ein anderes Mal ist sie gerade aufgestanden, Lucas ist unterwegs und kauft ein, wir beide sind im großen Wohnzimmer, ihr Hals ist voller roter Male, sie behauptet, ihr Schal habe sich in einer Rolltreppe verfangen. Das glaubst du doch selbst nicht, vermag ich nicht zu sagen, und einen Wutanfall bringe ich schon gar nicht zustande. Ich bin nicht mehr in der Lage, sie mit Fragen zu bombardieren und unerbittlich auf eine Antwort zu warten. Ich sehe, sie freut sich, mich zu sehen, sie steht auf, sobald sie mich kommen hört. Ich sehe, dass sie mich braucht. Die wenigen Male, die ich nicht kommen konnte, weil es zu gefährlich gewesen wäre, ist sie in Panik geraten. Das hat Lucas mir erzählt.

Sie spart. Einen Schein nach dem anderen schiebt sie in einen braunen Umschlag. Wenn sie eines Tages genug zusammenhat, wird sie zu Loïc nach Irland gehen, das jedenfalls hat sie mir gesagt. Sie möchte nicht, dass ich Lucas davon erzähle. Weder vom Umschlag noch von Loïc, noch von Irland, noch irgendwas. Ich habe es mit erhobener Hand versprochen, wie damals als Kind, als ich beim Leben meiner Mutter schwor. Ich habe nie in den Umschlag hineinzusehen gewagt. Immer wenn

Lucas nicht da ist, erzählt sie mir von Loïc. Von ihren Streichen im Internat, den Tricks, mit denen sie sich in der Mensa eine Extraportion verschafften, vom Kartenspielen und von ihren abendlichen Ausflügen.

Sie liebten sich. Das hat sie mir gesagt.

Sie erzählten sich ihre Probleme, ihre Träume, sie wollten zusammen weggehen, sehr weit weg, sie rauchten und tranken Kaffee im Gemeinschaftsraum, dessen graue Wände mit den Plakaten amerikanischer Filme beklebt waren. Stundenlang unterhielten sie sich leise, und wenn sie weggingen, blieben ihre Plastikbecher mit dem eingetrockneten Zucker zurück. Vor seiner Aufnahme ins Internat hatte Loïc eine Bäckerei ausgeraubt und einer alten Dame die Handtasche geklaut, deshalb hatte er in einer geschlossenen Einrichtung für straffällige Jugendliche gesessen. Er konnte Poker spielen, zog zerknitterte Geldscheine aus der Tasche und wettete um hohe Summen gegen kleine Einsätze, er hatte es No, Geneviève und einigen anderen beigebracht, in den stillen Schlafsälen spielten sie bis tief in die Nacht, noch lange nachdem das Licht ausgemacht worden war. Sie wusste, ob er gute Karten hatte, ob er bluffte oder schummelte, manchmal erwischte sie ihn in flagranti, dann warf sie ihre Karten auf den Tisch und ging weg, er lief ihr nach, hielt sie fest, nahm ihr Gesicht in beide Hände und küsste sie. Ihr beide seid füreinander geschaffen, hatte Geneviève immer gesagt.

Ich würde No oft gern etwas fragen, über die Liebe und so, aber mir ist klar, dass es dafür nicht mehr der richtige Moment ist.

Als Loïc volljährig wurde, verließ er das Internat. Am letzten Tag erklärte er No, er werde nach Irland gehen, um dort Arbeit zu suchen und in einer neuen Umgebung zu leben. Er sagte, er werde ihr schreiben, sobald er dort eine Wohnung habe, und er werde auf sie warten. Das hatte er versprochen. Im selben Jahr ging Geneviève fort, um ihren Berufsschulabschluss zu machen. No war siebzehn. Im Jahr darauf fing sie wieder an wegzulaufen. Eines Abends begegnete sie in einer Pariser Bar einem Mann, er lud sie ein, sie trank ein Glas nach dem anderen und sah ihm dabei fest in die Augen, sie wollte sich von innen ausbrennen, sie lachte, sie lachte und weinte, bis sie mitten in der Bar vom Stuhl fiel. Erst kamen die Sanitäter, dann die Polizei, und so landete sie in einer Notaufnahmestelle für Minderjährige im Vierzehnten Arrondissement, einige Wochen oder Monate, bevor ich sie kennenlernte. Loïcs Briefe hat sie irgendwo versteckt, an einem Ort, den nur sie kennt. Dutzende von Briefen.

Wenn sie aufsteht und keine Kraft mehr hat, wenn sie nicht essen will, weil ihr übel ist, dann gehe ich zu ihr und sage ganz leise, denk an Loïc in Irland, er wartet auf dich.

Ich habe bis zum letzten Augenblick im Schulhof gewartet und nach Lucas Ausschau gehalten, ich bin erst nach allen anderen hinaufgegangen und habe gerade noch in die Klasse schlüpfen können, bevor Monsieur Marin die Tür schloss.
Lucas ist nicht da.

Monsieur Marin ruft die Namen auf. Léa trägt einen sehr engen schwarzen Pulli und Silberohrringe. Axelle hat wieder zu ihrer eigenen Haarfarbe zurückgefunden und Lipgloss aufgetragen. Léa dreht sich nach mir um und erkundigt sich, ob Lucas krank ist. Die beiden lächeln mir verschwörerisch zu. Monsieur Marin beginnt nach seiner üblichen Art den Unterricht, er geht durch die Reihen, die Hände auf dem Rücken verschränkt, er sieht nie in seine Unterlagen, er hat alles im Kopf, die Daten, die Zahlen und Kurven. Man könnte eine Stecknadel zu Boden fallen hören.
Irre, wie normal *die Dinge* scheinen können. Wenn man sich ein bisschen Mühe gibt. Nicht unter den Teppich sieht. Fast könnte man glauben, man lebe in einer vollkommenen Welt, in der alles schließlich doch noch in Ordnung kommt.
Wir haben schon mehr als eine halbe Stunde Unterricht, als Lucas an die Tür klopft. Monsieur Marin lässt ihn sich setzen und fährt in seinem Vortrag fort, Lucas holt seinen

Hefter vor, zieht die Jacke aus, wir schreiben mit. Sollte Monsieur Marin das wirklich durchgehen lassen?
Nein.
Der Angriff lässt nicht länger auf sich warten.
»Monsieur Muller, war Ihr Wecker kaputt?«
»Äh, nein, Monsieur, mein Aufzug. Ich bin mit dem Aufzug stecken geblieben.«
Belustigtes Raunen geht durch die Reihen.
»Glauben Sie wirklich, ich würde das schlucken?«
»Hm, ja … das heißt … es ist die Wahrheit.«
»Monsieur Muller, ich unterrichte nun schon seit fast fünfunddreißig Jahren, Sie sind vermutlich der fünfzigste Schüler, der mir das Märchen vom Aufzug erzählt …«
»Aber …«
»Lassen Sie sich wenigstens etwas Phantasievolleres einfallen. Wir sind von Ihnen Besseres gewöhnt. Wenn Ihnen eine Ziegenherde den Weg versperrt hätte, hätten Sie mein volles Mitgefühl gehabt.«
»Aber …«
»Sie dürfen sich wieder anziehen. Gehen Sie und grüßen Sie die Schulleiterin von mir.«
Lucas steht auf, greift nach seiner Jacke und geht, ohne mich anzusehen. Er wirkte besorgt. Er ist einfach ohne ein Wort gegangen. Das ist nicht seine Art. Kein Murmeln, kein Knurren, er ist nicht einmal geschlurft oder hat die Tür hinter sich zugeknallt. Es muss etwas passiert sein. Es ist etwas passiert.

Nach der Stunde folgt mir Monsieur Marin ins Treppenhaus und spricht mich an.

»Mademoiselle Bertignac, Ihr Schnürsenkel ist offen.«
Ich zucke die Achseln. Mein Schnürsenkel ist nun schon seit bald dreizehn Jahren offen. Ich dehne, strecke, verlängere meinen Schritt. Eine Frage des Trainings. Monsieur Marin geht an mir vorüber, lächelnd.
»Passen Sie auf sich auf.«
Ich habe kein Wort gesagt. Er hat mich sehr genau verstanden.

Vor der Englischstunde treffe ich wieder auf Lucas, ich komme gar nicht dazu, die Frage zu stellen: No ist nicht zurückgekommen. Er hat den Schlüssel unter der Fußmatte gelassen. Es gehe ihr schlecht, sagt er, sie trinkt heimlich, sie stinkt geradezu nach Alkohol, sie macht allen möglichen Scheiß, allen möglichen Scheiß, er spricht schnell und laut, er ist nicht mehr vorsichtig, man hört ihn bestimmt noch am anderen Ende des Flurs, wir schaffen es nicht, Lou, sagt er, das musst du einsehen, wir können sie nicht in diesem Zustand lassen, sie nimmt irgendwelche Pillen, sie spricht nicht mehr mit einem, dagegen kommen wir nicht an …
»Mit mir spricht sie.«
Lucas sieht mich an, als hielte er mich für verrückt, er geht in den Klassenraum, ich setze mich neben ihn.
»Du machst es dir nicht klar, Krümel, du willst es dir nicht klarmachen.«

Ich lehne an meinem Baum, der auch sein Baum ist, rings um uns ertönen Lachen und Schreie. Ich weiß nicht, was ich sagen soll. Ich verstehe die Gleichung der

Welt nicht, die Unterteilung in Traum und Realität, ich verstehe nicht, warum *die Dinge* ins Wanken geraten, umstürzen, verschwinden, warum das Leben seine Versprechen nicht hält. Axelle und Léa kommen untergehakt und entschlossenen Schritts auf uns zu.
»Salut!«
»Salut.«
»Wir wollten euch zu einer Party bei Léa einladen, am nächsten Samstag.«
Lucas lächelt.
»O.k., find ich cool.«
»Bist du im MSN?«
»Ja.«
»Dann gib uns deine Adresse, wir schicken dir die Einladung.«
Mir passt das alles gar nicht. Wir haben Wichtigeres zu tun. Wir gehen gegen den Strom der *Dinge*. Wir sind durch denselben Eid gebunden. Einen stillschweigenden Eid. Das ist so viel wichtiger. Alles Übrige zählt nicht. Alles Übrige darf nicht zählen.
Ich sage nichts, ich höre, wie sie über Musik reden, Lucas wird seinen iPod mitbringen, da ist alles Mögliche drauf, das reicht für die ganze Nacht, die besten Stücke der Welt und so. Sie lachen prustend, geraten ins Schwärmen, wenden sich dann an mich, du doch auch, Lou, dieses Mal kommst du doch? Ich beobachte sie, während sie mit ihm kichern, sie sind fünfzehn, sie haben Brüste in ihren Büstenhaltern und Hintern in ihren Jeans. Sie sind hübsch, an ihnen ist nichts auszusetzen, es gibt nicht die kleinste Winzigkeit, um derentwillen man sie hässlich

finden könnte, gar nichts. Lucas streicht sich das Haar aus den Augen, und plötzlich mag ich diese Geste nicht mehr, und auch nicht mehr die Art, wie er vor ihnen steht, selbstsicher, entspannt.

Den restlichen Tag über schmolle ich ein wenig. Schmollen tut gut, genau wie vorm Spiegel schimpfen, es baut Spannungen ab. Es darf nur nicht zu lange dauern, man soll seine Betroffenheit zeigen, aber man muss auch aufhören können, bevor es ätzend wird. Deshalb sage ich ihm nach der Mathestunde, los komm, wir gehen zu dir, ich kaufe dir eine *brioche suisse*. Die mag er nämlich am liebsten, diese Schnecken mit Vanillecreme und Schokostreuseln. Die sind wie kleine Krümel, und er liebt Krümel, denke ich, während ich in der Bäckerei Schlange stehe, er liebt mich, aber er weiß es nicht. Oder aber er findet mich zu klein zum Küssen. Oder er ist mir böse, weil ich ihm No vorgezogen habe. Oder er ist in Léa Germain verliebt. Oder …
Das Blöde an Hypothesen ist, dass sie sich in Schallgeschwindigkeit vermehren, wenn man sich gehenlässt.

Wir kommen mit einer Riesentüte voller Gebäck in die Wohnung. Die Vorhänge sind zugezogen. Im Halbschatten sehen wir sie auf dem Sofa liegen, wahrscheinlich ist sie morgens beim Nachhausekommen da zusammengebrochen, ihr T-Shirt ist über dem Bauch nach oben gerutscht, ein Speichelfaden rinnt aus ihrem Mund, ihre Haare hängen über die Sofakante, sie liegt auf dem Rücken, den Blicken preisgegeben. Wir nähern uns auf

Zehenspitzen, ich wage kaum zu atmen. Lucas sieht mich an, und in seinen Augen steht in Großbuchstaben: Was habe ich dir gesagt?
Es stimmt, dass neben ihr eine leere Flasche steht. Es stimmt, dass das ganze Zimmer nach Alkohol stinkt. Es stimmt, dass es ihr nicht gutgeht. Nicht so besonders viel besser als vorher. Aber vorher war sie allein. Vorher hat sich kein Mensch gefragt, wo sie schlief und ob sie zu essen hatte. Vorher hat sich kein Mensch gefragt, ob sie nach Hause gekommen war. Jetzt gibt es uns. Wir bringen sie ins Bett, wenn sie es selbst nicht mehr schafft, wir haben Angst um sie, wenn sie nicht nach Hause kommt. Das ist der Unterschied. Das ändert vielleicht nicht den Lauf der *Dinge*, aber es macht einen Unterschied.
Lucas hört mir zu. Er sagt nichts. Du bist ganz klein, und du bist ganz groß, Krümel, könnte er sagen, aber er schweigt. Er weiß, dass ich recht habe. Das macht den Unterschied. Er streicht mir übers Haar.

Vorher glaubte ich, *die Dinge* hätten eine Bestimmung, einen verborgenen Sinn. Vorher glaubte ich, dieser Sinn sei der Gestaltung der Welt vorausgegangen. Aber der Gedanke, es gebe schlechte und gute Gründe, ist eine Illusion, und insofern ist die Grammatik eine Lüge, die uns glauben machen soll, dass die Sätze untereinander eine Logik bilden, die sich studieren ließe, eine seit Jahrhunderten tradierte Lüge, denn ich weiß jetzt, dass das Leben nur eine Folge von Ruhe- und Ungleichgewichtszuständen ist, deren Anordnung keiner Notwendigkeit unterliegt.

Sie haben die Kartons aus den Wandschränken geholt und auf den Boden gestellt, um den Inhalt zu sortieren. Sie sitzen alle beide auf dem Boden, die Gegenstände, Papiere und Zeitungen liegen ausgebreitet vor ihnen auf dem Teppichboden. Mein Vater hat zwei Tage Urlaub genommen, sie wollen ein großes Aufräumen veranstalten, bevor neu gestrichen wird.
Ich komme ins Wohnzimmer, den Rucksack über der Schulter, sie begrüßen mich. Meine Mutter weicht nicht von ihren rituellen Fragen ab, hattest du einen schönen Tag, hast du nicht zu lange auf den Bus warten müssen, ihr Haar ist offen, sie trägt die Ohrringe, die mein Vater ihr zu Weihnachten geschenkt hat.
Sie haben zwei Haufen gemacht: was sie behalten und was sie wegwerfen. Sie sind zufrieden. Sie räumen auf. Sie stellen sich auf ein neues Leben ein. Ein anderes Leben. Natürlich haben sie No nicht vergessen, nicht ganz. Manchmal sprechen wir abends beim Essen über sie, mein Vater versucht, mich zu beruhigen, eines Tages werden wir von ihr hören, da ist er sich ganz sicher. Er ruft immer noch bei der Sozialarbeiterin an, fast jede Woche.

Ich stelle den Rucksack in meinem Zimmer ab, schaue in der Küche in ein, zwei Schränke, schnappe mir einen Apfel und kehre zu meinen Eltern ins Wohnzimmer zu-

rück. Sie arbeiten schweigend, meine Mutter sieht, einen Gegenstand in der Hand, fragend meinen Vater an, er antwortet mit einer Kopfbewegung, und sie legt den Gegenstand auf den richtigen Haufen. Dann ist er es, der sie bezüglich eines Stapels alter Zeitungen befragt, sie schneidet eine Grimasse, und er legt sie zur Seite. Sie verstehen sich.
»Ich bin zu einer Party bei einer Klassenkameradin eingeladen, nächsten Samstag.«
»Ah, fein.«
Mein Vater trifft die Entscheidung, meine Mutter hat nicht einmal den Kopf gehoben.
»Es ist abends. Ab acht.«
»Aha. Und bis wann?«
»Weiß ich nicht. Mitternacht vielleicht. Solange man will.«
»Na fein.«
Voilà. »Na fein.« Alles perfekt. Alles bestens. Die Sache ist geregelt.
Ich gehe in mein Zimmer zurück und lege mich auf den Rücken, mit ausgebreiteten Armen, wie No.

Ich mag dieses neue Leben nicht.
Ich mag es nicht, wenn *die Dinge* verblassen, sich verlieren, ich mag nicht so tun, als hätte ich es vergessen. Ich vergesse es nicht.
Ich mag es nicht, wenn es Abend wird. Diese Tage, die im Schatten verschwinden, für immer.
Ich suche Erinnerungen, scharf gestellte Bilder, die richtige Beleuchtung. Die Stunden, in denen meine Mutter

und ich auf dem Boden saßen und mit den Playmobil-Männchen spielten, die Geschichten, die wir uns ausdachten, immer und immer neue. Wir teilten uns die Plastikfigürchen, Männer, Frauen und Kinder, wir gaben ihnen Stimmen und Vornamen, sie fuhren in dem gelben LKW zum Picknick ins Grüne, sie schliefen im Zelt, feierten Geburtstage. Sie hatten Fahrräder, Becherchen, abnehmbare Kappen und ein unveränderliches Lächeln. Das war vor Thaïs.

Ich erinnere mich an einen Herbstabend, später, ich muss neun oder zehn Jahre alt gewesen sein.
Meine Mutter und ich sind in einem Park, das Licht verblasst, es ist fast niemand mehr da, die anderen Kinder sind gegangen, es ist die Zeit des Badens, der Schlafanzüge, der über feuchte Füße gestreiften Pantoffeln. Ich trage einen geblümten Rock und Stiefeletten, aber keine Strumpfhose. Ich fahre mit meinem Rad, meine Mutter sitzt auf einer Bank und beaufsichtigt mich von ferne. Auf der Hauptallee werde ich schneller, meine Jacke ist fest zu, meine Haare fliegen im Wind, ich trete mit aller Kraft in die Pedale, um das Rennen zu gewinnen, ich habe keine Angst. In der Kurve gerate ich ins Rutschen, das Rad bricht zur Seite aus, ich fliege ein Stück durch die Luft und lande dann auf den Knien. Ich strecke die Beine aus, es tut weh. Die Wunde ist groß, voller Schmutz und Steinchen. Ich brülle.
Meine Mutter sitzt einige Meter entfernt auf ihrer Bank, sie starrt auf den Boden. Sie hat es nicht gesehen. Sie hört nichts. Es fängt an zu bluten, ich brülle noch lauter.

Meine Mutter rührt sich nicht, sie nimmt ihre Umwelt nicht mehr wahr.
Ich schreie, so laut ich kann, ich schreie mir die Lunge aus dem Hals, meine Hände sind blutig, ich habe das kaputte Knie wieder an den Körper gezogen, auf meinen Wangen brennen die Tränen.
Ich sehe, wie eine Dame aufsteht und zu meiner Mutter geht. Sie legt ihr die Hand auf die Schulter, meine Mutter hebt den Kopf, die Dame zeigt in meine Richtung. Ich werde lauter. Meine Mutter winkt mir, ich solle kommen. Ich rühre mich nicht, ich brülle weiter. Sie bleibt sitzen, wie gelähmt. Da kommt die Dame zu mir und kauert sich neben mich. Sie holt ein Taschentuch aus ihrer Handtasche und säubert mein Bein rings um die Wunde. Das muss desinfiziert werden, wenn du nach Hause kommst, sagt sie. Komm, sagt sie, ich bring dich zu deiner *Maman*. Sie hilft mir beim Aufstehen, nimmt mein Fahrrad und führt mich zur Bank. Meine Mutter empfängt mich mit einem schwachen Lächeln. Sie sieht die Dame nicht an. Sie sagt nicht danke. Ich setze mich neben sie, ich weine nicht mehr. Die Dame kehrt an ihren Platz zurück. Auf ihre Bank. Sie sieht zu uns herüber. Sie kann nicht anders. Ich halte das Papiertaschentuch der Dame fest in der Hand. Meine Mutter steht auf, lass uns gehen, sagt sie. Wir gehen. Wir gehen an der Dame vorüber, die mich nicht aus den Augen lässt.
Ich drehe mich noch einmal nach ihr um. Sie macht mir ein Zeichen mit der Hand. Und während die Nacht über einen menschenleeren Park hereinbricht, verstehe ich, was es bedeutet, ein solches Zeichen. Es bedeutet, man

wird stark sein müssen, man wird viel Mut aufbringen müssen, man wird damit aufwachsen müssen. Oder vielmehr ohne das.

Ich gehe neben meinem Fahrrad her. Mit einem Knall fällt das Parktor hinter mir zu.

Monsieur Muller, stehen Sie auf und zählen Sie bis zwanzig.«

Heute Vormittag ist Lucas nicht in Form, man sieht es an seinen zusammengekniffenen Augen, dem strubbeligen Haar, dem abwesenden Blick. Er seufzt demonstrativ, erhebt sich in Zeitlupe und beginnt zu zählen.

»Eins, zwei, drei …«

»STOPP! … Das ist Ihre Note, Monsieur Muller, drei von zwanzig Punkten. Der Test war seit zwei Wochen angekündigt, Ihr Schnitt im zweiten Quartal liegt bei fünfeinhalb, ich werde bei der Direktorin drei Tage Ausschluss vom Unterricht beantragen. Wenn Sie diese Klasse ein zweites Mal wiederholen möchten, bitte sehr, Sie sind auf dem besten Wege. Sie können gehen.«

Lucas packt seine Sachen. Zum ersten Mal wirkt er gedemütigt. Er protestiert nicht, lässt nichts fallen, und bevor er die Klasse verlässt, sieht er sich nach mir um, in seinen Augen steht etwas wie Hilf mir oder Lass mich nicht im Stich, aber ich sitze auf meinem Stuhl und mime Gräfin Koks, mit durchgedrücktem Rücken und erhobenem Kopf, konzentriert wie ein Kandidat in einem Fernsehquiz. Ein Knopf *Automatische Türverriegelung* wär mir jetzt eine echte Hilfe.

Er geht zu Léas Party. Er geht ohne mich. Ich habe wirklich versucht, mir das alles vorzustellen, und mich mittendrin. Ich habe mir vorgestellt, ich wäre im Mittelpunkt des Festes, mit Spots, Musik, den Leuten aus der Abschlussklasse und so. Ich habe wirklich versucht, Bilder zu finden, die echt wirkten, ich, wie ich mitten unter den anderen tanze, ich, wie ich, ein Glas in der Hand, mit Axelle rede, ich, kichernd auf einem Sofa. Aber es funktionierte nicht. Es ist ganz einfach nicht möglich. Es ist unvorstellbar. Genauso gut könnte man sich eine Nacktschnecke auf der Internationalen Libellen-Ausstellung vorstellen.

Auf dem Schulhof halte ich nach ihm Ausschau, er spricht mit François Gaillard, mit weitausholenden Gesten, ich sehe von ferne, wie er mir zulächelt, und ich kann nicht anders, ich lächele zurück, obwohl ich böse bin, denn ich habe weder einen Panzer wie die Schildkröten noch eine Schale wie die Schnecken. Ich bin eine winzige Nacktschnecke in Tennisschuhen. Völlig schutzlos.

Léa und Axelle sind beim Verlassen der Schule in ein lautes Gespräch vertieft, mit Jade Lebrun und Anna Delattre, sehr schönen Mädchen aus der Abschlussklasse, und ich merke gleich, dass es um Lucas geht, sie haben mich nicht gesehen, ich bleibe im Schutz der Säule und spitze die Ohren.

»Heute Morgen war er in der Brasserie am Boulevard mit einem superseltsamen Mädchen zusammen, sie tranken Kaffee.«

»Wer war das Mädchen?«

»Weiß ich nicht. Sie war nicht von unserer Schule. Sie schien ziemlich in der Scheiße zu stecken, das kann ich dir sagen, wenn du ihr Gesicht gesehen hättest, weiß wie eine Wand, sie weinte, und er schrie sie an.«

Lucas kommt zu mir. Sie verstummen sofort. Wir beide gehen zur Metro. Ich sage nichts. Ich sehe auf meine Schuhe, die Fugen des Bürgersteigs und zähle Zigarettenkippen.
»Krümel, du solltest am Samstag zu Léas Party mitkommen, das würde dich auf andere Gedanken bringen.«
»Geht nicht.«
»Wieso nicht?«
»Meine Eltern wollen es nicht.«
»Hast du sie gefragt?«
»Ja, klar, hab ich sie gefragt, und sie wollen nicht. Sie finden, ich bin zu jung.«
»Schade.«

Von wegen. Es ist ihm wurscht. Er hat sein Leben. Jeder hat sein eigenes Leben. Letzten Endes hat No doch recht. Man darf nicht alles vermischen. Es gibt *Dinge*, die lassen sich nicht vermischen. Er ist siebzehn Jahre alt. Er hat keine Angst, angestarrt zu werden, er hat keine Angst, sich lächerlich zu machen, er hat keine Angst, mit den Leuten zu reden, oder mit den Mädchen, er hat keine Angst zu tanzen, keine Schwierigkeiten, nicht aufzufallen, er weiß, wie schön er ist, wie groß und stark. Und das geht mir auf die Nerven.

Wir gehen schweigend weiter. Ich habe keine Lust mehr, mit ihm zu reden. Trotzdem muss ich mit in seine Wohnung, wegen No. Als wir ankommen, will sie gerade zu ihrer Arbeit aufbrechen. Ich biete ihr an, sie zu begleiten, und verabschiede mich von weitem von Lucas. Wir nehmen die Treppe, weil ihr im Fahrstuhl schlecht wird. Es geht ihr übrigens überhaupt ganz einfach schlecht, das sieht man.

Unten auf der Straße holt sie einen Pappkarton aus ihrer Tasche. Sie hält ihn mir hin.
»Da, das ist für dich.«
Ich öffne ihn und sehe ein Paar rote Converse-Tennisschuhe, genau die, von denen ich immer träumte. Manchmal ist es wirklich schwierig, nicht in Tränen auszubrechen. Wenn ich irgendwas zu zählen finden könnte, jetzt gleich, damit wär mir echt geholfen. Aber weit und breit nichts, nichts außer den Tränen in meinen Augen. Sie hat mir ein Paar Converse gekauft, die mindestens sechsundfünfzig Euro kosten. Rote, wie ich sie immer haben wollte.
»Äh, danke. Das war wirklich nicht nötig. Du brauchst dein Geld doch noch, für die Reise …«
»Mach dir deshalb keine Sorgen.«
Ich gehe neben ihr her.
In den Tiefen meiner Tasche suche ich nach einem Papiertaschentuch, und sei es noch so zerfleddert. Ich finde nichts.
»Lucas, will er, dass du gehst?«
»Nein, nein, keine Sorge. Alles in Ordnung.«
»Hat er dir nichts gesagt?«
»Nein, nein, es geht schon. Mach dir keine Gedanken. Es

wird schon gehen. Ich muss weiter. Geh du nach Hause, ich geh allein weiter.«

Ich hebe den Kopf, mein Blick fällt auf die Werbetafel, vor der wir stehen geblieben sind. Es ist eine Parfümwerbung, eine Frau geht über die Straße, entschlossen, dynamisch, eine große Lederhandtasche über der Schulter, ihr Haar weht im Wind, sie trägt einen Pelzmantel, hinter ihr ahnt man eine Stadt in der Dämmerung, die Fassade eines teuren Hotels, die Lichter funkeln, und da ist auch noch ein Mann, er dreht sich nach ihr um, er ist fasziniert.
Wie hat diese Diskrepanz zwischen den Plakaten und der Wirklichkeit eigentlich angefangen? Hat das Leben sich von den Werbeplakaten entfernt, oder haben die Werbetafeln dem Leben die Solidarität aufgekündigt? Und wann? Was ist los?

Ich lasse No weitergehen, sie trägt eine Plastiktüte in der Hand, sie geht um die Straßenecke, kein Funkeln, das sie umgibt, alles ist düster und grau.

Als ich nach Hause komme, werfe ich meine Sachen auf den Boden, ich möchte zu verstehen geben, dass ich aufgebracht bin, damit sich meine Mutter verpflichtet fühlt, mit mir ins Gespräch zu kommen. Das funktioniert immer. Sie ist angezogen und geschminkt, wenn man nicht zu genau hinsieht, wirkt sie wie eine normale Mutter, die gerade von der Arbeit heimgekommen ist. Sie folgt mir in die Küche, ich habe nicht einmal guten Tag oder guten Abend gesagt, ich öffne den Schrank und schließe ihn sofort wieder, ich habe keinen Hunger. Sie will mir in mein Zimmer folgen, ich knalle ihr die Tür vor der Nase zu.

Ich höre, wie sie mich von der anderen Seite aus anschreit, was mich ziemlich verblüfft, sie hat mich schon seit mindestens drei Milliarden Jahren nicht mehr ausgeschimpft. Sie wirft mir vor, ich würde nichts aufräumen, alles herumliegen lassen, Schere, Klebstoff, Bindfaden, sie habe meine Konzeptexperimente und Widerstandsfähigkeitstests satt, satt, satt, in der Wohnung gehe es drunter und drüber, man könne kaum noch mit mir reden, was denn eigentlich los sei?

Genau das ist DIE Frage: Was ist los? Eine allgemeine Frage, eine Frage, die sich jeder stellt, aber niemand beantworten kann. Was läuft schief?

Ich öffne die Tür nicht, ich bleibe auf meiner Seite, ich antworte nicht.

Los ist zum Beispiel, dass auch ich es satthabe, satt, satt, satt, ganz allein zu sein, satt, angesprochen zu werden, als wäre ich die Tochter der Hausmeisterin, ich habe die Wörter und Experimente satt, ich habe alles satt. Los ist, dass ich von ihr angesehen werden möchte, wie andere Kinder von ihren Müttern angesehen werden, ich möchte, dass sie abends an meinem Bett sitzt und mit mir redet, bevor sie das Licht ausknipst, ohne dass ich den Eindruck habe, sie zählt die Fugen im Parkett oder sie hat den Dialog auswendig gelernt.
»Lou, mach die Tür auf!«
Ich sage nichts, ich schneuze mich aber mit aller Macht, damit sie ein bisschen ein schlechtes Gewissen bekommt.
»Lou, warum willst du nicht mit mir sprechen?«
Ich will nicht mit ihr sprechen, weil sie mir nicht zuhört, weil sie immer so wirkt, als würde sie an etwas anderes denken, als wäre sie in ihre eigene Welt verloren oder hätte sich an einer Schlaftablette verschluckt. Ich will nicht mit ihr sprechen, weil sie nicht mehr weiß, wer ich bin, weil sie sich immer zu fragen scheint, was uns verbindet, sie und mich, welche Beziehung zwischen uns besteht.
Ich höre den Schlüssel im Schloss, mein Vater kommt von der Arbeit nach Hause, er ruft nach uns. Seine Schritte nähern sich, er diskutiert mit meiner Mutter, leise, ich kann nicht verstehen, was sie sagen, sie entfernt sich.
»He, Rebellen-Schlumpf, lässt du mich rein?«
Ich drehe den Schlüssel im Schloss. Mein Vater nimmt mich in die Arme.

»Was ist los?«
Ich sehe auf das zerknitterte Papiertaschentuch in meiner Hand, ich bin wirklich traurig.
»*Maman* liebt mich nicht.«
»Warum sagst du das, du weißt genau, dass das nicht stimmt.«
»Doch, es stimmt, und du weißt genau, dass es stimmt. Seit Thaïs tot ist, liebt *Maman* mich nicht mehr.«
Da wird mein Vater ganz blass, als wäre etwas über ihm zusammengebrochen, ich bereue, dass ich es gesagt habe, auch wenn ich es denke, denn mein Vater steckt nun schon seit Jahren Unmengen von Energie in den Versuch, mir die Wahrheit zu verhehlen.
Er braucht mehrere Minuten, um zu antworten, und ich weiß, wie schwer es ist, die richtigen Worte zu finden, Worte, die eine Illusion erzeugen, die beruhigen.
»Lou, du irrst dich. *Maman* liebt dich, sie liebt dich von ganzem Herzen, sie weiß nicht mehr so genau, wie sie es zeigen soll, so als wäre sie aus der Übung, als würde sie aus einem langen Schlaf erwachen, aber in ihren Träumen dachte sie an dich, ganz oft, und deinetwegen ist sie wieder aufgewacht. Weißt du, Lou, *Maman* war sehr krank … Es geht ihr wieder besser, viel besser, aber wir müssen ihr Zeit lassen.«

Ich habe ja gesagt, um zu zeigen, dass ich verstanden hatte. Ich habe sogar gelächelt.
Aber im selben Augenblick dachte ich an die Verkäufer vor den Galeries Lafayette, die an ihren kleinen Ständen die unglaublichsten Geräte vorführen, Maschinen, die

irgendwas in Würfel, Scheiben, Lamellen und Windrosen schneiden, die raspeln, pressen, mörsern, mischen, die schlichtweg alles können und ein Leben lang halten. Aber so blauäugig bin ich nun auch wieder nicht.

No hat den Fernseher angemacht, die unter ihrem Bett versteckte Wodkaflasche geholt und sich dann neben mich gesetzt. Wir sehen, tief ins Sofa geschmiegt, das Finale von *Superstar*, sie tut so, als interessiere sie sich für die Kommentare der Jury, aber im Grunde, das sehe ich, sind sie ihr scheißegal, die Kommentare und alles andere, alles ist ihr scheißegal.

Meine Eltern sind im Theater, sie haben mir erlaubt, bei Lucas zu bleiben, nach der Vorstellung wollen sie mich bei ihm abholen. Meine Mutter hat eine *quiche lorraine* gemacht, die habe ich mitgebracht und unterwegs Litschis und Mangos gekauft, auf die No ganz wild ist. Heute Abend geht sie nicht arbeiten, es ist ihr freier Tag.

Wir warten auf Lucas. Donnerstags hat er Gitarrenunterricht. Der Lehrer hat seiner Mutter mitgeteilt, er komme nur hin und wieder, seither geht er hin, damit es keine Probleme gibt. Er ist noch nicht zurück. Je später es wird, desto überzeugter bin ich, dass er nicht wegen des Gitarrenunterrichts so lange wegbleibt. Je später es wird, desto heftiger denke ich an Léas Party, auf die ich nicht gegangen bin. Vielleicht haben sie sich auf ein Glas verabredet, vielleicht hat sie ihren schwarzen Pulli mit dem sehr tiefen V-Ausschnitt angezogen und ihre enge Jeans. Vielleicht hat auch er es satt.

Für Océane muss man die 1 drücken, für Thomas die 2.

No ist mehr für Océane, aber ich stimme für Thomas, weil er Lucas ähnelt, ein dünnerer Lucas mit kleineren Augen, denn Lucas' Augen sind groß und dunkel.
Die Leute im Fernsehen haben alle weiße Zähne. Ich habe No gefragt, woran es ihrer Meinung nach liegt. Handle es sich um einen Beleuchtungseffekt oder um eine Spezialzahnpasta, die nur von Stars verwendet werde, oder aber um etwas, was sie vor der Sendung wie einen Lack auftrügen, damit die Zähne glänzten?
»Ich weiß nicht, worum *es sich handelt*, Lou, du stellst dir zu viele Fragen, irgendwann brennen dir noch die Neuronen durch.«

Sie ist schlecht drauf. Sie kauert sich auf dem Sofa zusammen, ich beobachte sie heimlich. Sie ist so mager wie an dem Tag, als ich ihr das erste Mal begegnete, und sieht aus, als hätte sie seit Wochen nicht mehr geschlafen, ihre Augen glänzen wie im Fieber. Sobald man sich umsieht, stellt man sich Fragen. Und ich sehe mich um, das ist alles. Ich sage mir, wenn sie so weitermacht, wird sie nie genug Kraft haben, um nach Irland zu reisen. Ich sehe, dass ihre Hände zittern und dass sie sich kaum aufrecht halten kann. Ich sehe, dass nur noch wenig Wodka übrig ist. Der Alkohol beschütze sie, hat sie mir erklärt, aber trotzdem lässt sie nicht zu, dass ich welchen trinke, nicht einen Tropfen. Ich würde auch gern von etwas beschützt, ich hätte gern, dass mir jemand sagt, alles wird gut, das ist alles nicht so schlimm.
Während der Werbung versuche ich, sie ein wenig abzulenken.

»Weißt du, in Irland gibt es Herrenhäuser, Schlösser, Hügel, unglaubliche Steilfelsen und sogar Lagunen.«
»Ach so. Du kommst also mit?«
Das ist keine Frage aufs Geratewohl. Keine Frage einfach so. Sie erwartet eine Antwort. Vielleicht gleicht das Leben in Irland den Plakaten, die man in den Metrostationen sieht. Vielleicht ist das Gras wirklich grün und der Himmel so weit, dass man ins Unendliche blicken kann. Vielleicht ist das Leben in Irland einfacher. Vielleicht wäre sie gerettet, wenn ich mit ihr ginge. Es ist spät, und Lucas ist noch nicht zurück.
»Weiß nicht. Vielleicht …«

Loïc arbeitet in einem Pub in Wexford und wohnt mit seinen Hunden und Katzen in einem großen Haus auf dem Land. Es hat viele Zimmer und eine riesige Küche, er hat oft Freunde zu Besuch, sie grillen Hähnchen am Spieß, machen Lagerfeuer in seinem Garten, singen alte Lieder, sie machen Musik und verbringen die Nacht, in Decken gewickelt, im Freien, er verdient viel Geld und achtet nicht auf die Ausgaben. Er wollte ein Haus für sie, er hat ihr Fotos geschickt, sie hat gesehen, wie hoch die Bäume sind, sie hat das unglaubliche Licht gesehen und das Bett, in dem sie schlafen werden. Loïc hat lange, schmale Hände und lockiges Haar, er trägt Totenkopfringe und einen langen schwarzen Mantel, das hat No mir erzählt. Sie hat ihm geschrieben, sie werde bald kommen, sobald sie das Geld hätte.

Océane hat gewonnen. Über ihre Wangen laufen Tränen, strahlend zeigt sie ihr Gebiss. Sie ist schön. No ist eingeschlafen. Sie hat die Flasche Wodka ausgetrunken. Ich sehe noch einmal auf die Uhr. Ich wüsste gern, wie viel Geld in dem Umschlag ist. Ich würde mich gern neben sie legen und auf etwas warten, das einer Musik gleichen würde, etwas, das uns einhüllen würde.

Ich habe Lucas nicht gehört, er steht vor mir. Was, so spät kommst du nach Hause, würde ich gern brüllen und streng fragen, wo er war, ihm den Weg versperren und Erklärungen verlangen. Ich wünschte, ich wäre zwanzig Zentimeter größer und imstande, böse zu werden.

Mein Vater ruft mich an, sie kommen gerade aus dem Theater, in einer halben Stunde werden sie da sein. Wahrscheinlich hat das Klingeln des Telefons No geweckt, sie schlägt die Augen auf und fragt mich, wer gewonnen hat. Sie ist leichenblass, ich muss kotzen, sagt sie, Lucas fasst sie schnell unter den Armen und bringt sie zur Toilette, sie stützt sich an der Kloschüssel ab und beugt sich darüber, er hält sie fest, bis es vorüber ist. Aus ihrer Jeanstasche schauen Geldscheine heraus, Fünfzig-Euro-Scheine, mehrere, hinter ihrem Rücken greife ich nach Lucas' Arm und zeige wortlos darauf.
Und da gerät Lucas in eine Höllenwut, er presst sie gegen die Wand, er schreit, er ist außer sich, so habe ich ihn noch nie gesehen, was tust du, No, brüllt er, was tust du, er schüttelt sie mit aller Kraft, antworte mir, No, was tust du?

No beißt die Zähne zusammen, aus tränenlosen Augen sieht sie ihn an, sie verteidigt sich nicht, sie sieht ihn an, mit diesem herausfordernden Ausdruck, ich weiß genau, was das bedeutet, er hält sie an den Schultern gepackt, ich schreie hör auf, hör auf und versuche, ihn zurückzuhalten. Sie sieht ihn an, was glaubst du denn, sagt dieser Blick, was glaubst du denn, wie man zurechtkommen soll, was glaubst du denn, wie man aus dieser Scheiße herauskommen soll, ich höre es, als würde sie es schreien, ich höre nur noch das. Als er sie endlich loslässt, fällt sie auf die Fliesen zurück und schlägt sich die Lippe am Kloschüsselrand auf, er knallt die Tür zu, sie bleibt verstört zurück.

Ich setze mich neben sie, streichle ihr übers Haar, Blut läuft über meine Hände, nicht so schlimm, sage ich und wiederhole es mehrmals, nicht so schlimm, aber im Grunde weiß ich, es ist schlimm, im Grunde weiß ich, ich bin ganz klein, im Grunde weiß ich, er hat recht: Wir sind nicht stark genug.

Bevor ich No kennenlernte, dachte ich, Gewalt, das seien Schreie, Schläge, Krieg und Blut. Jetzt weiß ich, dass Gewalt auch im Schweigen sein kann, dass sie manchmal nicht mit bloßem Auge zu erkennen ist. Gewalt ist diese Zeit, die die Wunden verdeckt, die unerbittliche Abfolge der Tage, die Unmöglichkeit einer Rückkehr in die Vergangenheit. Gewalt ist das, was wir nicht begreifen, sie schweigt, sie zeigt sich nicht, Gewalt ist, was sich nicht erklären lässt, was für immer undurchsichtig bleibt.

Sie warteten schon seit zwanzig Minuten unten vor dem Haus, ich öffnete die Wagentür und setzte mich nach hinten, im Wagen duftete es nach dem Parfüm meiner Mutter, ihr glattes Haar floss über ihre Schultern. Drei Mal hatten sie mich von unten aus angerufen, bis ich endlich kam, sie waren verärgert.
Ich hatte keine Lust zu sprechen. Ich hatte keine Lust, sie zu fragen, ob ihnen das Stück gefallen habe und ob sie einen netten Abend verbracht hätten. Nos Bild klebte auf meiner Netzhaut. No, wie sie, Blut im Mund, auf dem Boden sitzt. Und darüber Lucas, wie er mit der Faust gegen die Wand schlägt. Mein Vater stellte den Wagen in der Tiefgarage ab, wir fuhren mit dem Aufzug hinauf, es war schon nach Mitternacht. Er wollte mit mir reden.

Ich folgte ihm ins Wohnzimmer, meine Mutter ging Richtung Badezimmer.
»Was ist los, Lou?«
»Nichts.«
»Doch. Es ist etwas los. Wenn du dein Gesicht sehen könntest, würdest du nicht nichts sagen.«
»…«
»Warum verschanzt ihr euch immer bei Lucas zu Hause? Warum lädst du deine Freunde nie zu uns ein? Warum willst du nicht, dass ich raufkomme und dich abhole? Warum lässt du uns zwanzig Minuten lang warten, obwohl ich dich angerufen habe, bevor wir losfuhren? Was ist los, Lou? Früher kamen wir beide doch ganz gut miteinander zurecht, wir haben uns immer mal was erzählt und miteinander geredet. Wo ist das Problem?«
»…«
»Ist No bei Lucas?«
Ich hebe unwillkürlich den Kopf. Scheiße. Mein Vater ist einfach zu schlau. Dabei hatten wir alles wasserdicht gemacht.
»Antworte, Lou, ist No bei Lucas?«
»Ja.«
»Haben seine Eltern sie aufgenommen?«
»Ja … das heißt nein. Seine Eltern sind nicht da.«
»Seine Eltern sind nicht da?«

Einige Sekunden lang herrscht Schweigen, mein Vater nimmt die Information in ihrer gesamten Tragweite in sich auf.
Die ganze Zeit über, in der ich nun schon zu Lucas gehe,

die ganze Zeit über, in der wir in dieser großen Wohnung ohne auch nur den Schatten eines Erziehungsberechtigten uns selbst überlassen waren, die ganze Zeit lüge ich durch Verschweigen. Und die ganze Zeit waren sie anderweitig beschäftigt. Er schwankt zwischen Vorwürfen und dem Sturm der Entrüstung und atmet tief ein.
»Wo sind seine Eltern?«
»Sein Vater lebt jetzt in Brasilien, und seine Mutter in Neuilly, manchmal kommt sie übers Wochenende zurück.«
»No ist bei ihm, seit sie hier weggegangen ist?«
»Ja.«
»Warum hast du uns nichts gesagt?«
»Weil ich Angst hatte, du würdest sie in irgendeine Einrichtung bringen lassen.«

Mein Vater ist zornig. Zornig und müde.
Er hört mir zu, und ich versuche, es zu erklären.
Sie will nicht in ein Obdachlosenzentrum, weil es da schmutzig ist, weil man sie da morgens um acht rauswirft, weil man immer mit einem halben Auge wach bleiben muss, um nicht beklaut zu werden, weil sie irgendwo ihre Sachen lassen muss und einen Ort braucht, an dem sie ausruhen kann. Sie achtet nicht auf sich, weil niemand da ist, der sie erwartet, wenn sie rausgeht, niemand, der sich um sie kümmert, weil sie an nichts mehr glaubt, weil sie ganz allein ist.
Ich weine und spreche weiter, ich sage allen möglichen Unsinn, aber euch sind wir ja sowieso egal, No und ich,

ihr habt das Handtuch geworfen, ihr habt aufgegeben, ihr versucht bloß, die Fassade aufrechtzuerhalten und die Risse zu übertünchen, aber ich, ich gebe nicht auf, ich kämpfe. Mein Vater sieht mich an, all die Tränen auf meinem Gesicht, den Rotz, der aus meiner Nase läuft, er sieht mich an, als wäre ich verrückt geworden, und ich mache weiter, ich kann mich einfach nicht mehr bremsen, euch ist das alles scheißegal, ihr sitzt ja schön im Warmen, und es stört euch, wenn einer bei euch zu Hause säuft, einer, dem es nicht gutgeht, so etwas passt ja nicht ins Bild, und ihr seht euch stattdessen lieber Ikea-Kataloge an.
»Du redest Unsinn, Lou. Du bist ungerecht, und du weißt es. Geh schlafen.«

Meine Mutter kommt aus dem Badezimmer, wahrscheinlich hat sie mich schreien gehört, in einen seidenen Morgenmantel gehüllt, kommt sie zu uns ins Wohnzimmer, sie hat sich das Haar gebürstet, mein Vater sagt ihr in wenigen Worten, worum es geht, und ich muss sagen, seine Zusammenfassung zeugt von einem ausgeprägten Sinn fürs Wesentliche, wie Madame Rivery gewiss anerkennend feststellen würde.
Meine Mutter schweigt.
Ich möchte, dass sie mich in die Arme nimmt, dass sie mir über die Stirn streicht, übers Haar, dass sie mich an sich drückt, bis mein Schluchzen nachlässt. Wie vorher. Ich möchte, dass sie sagt, nicht so schlimm, oder, jetzt bin ich ja da, ich möchte, dass sie meine nassen Augen küsst.

Aber meine Mutter bleibt mit hängenden Armen an der Wohnzimmertür stehen.

Da denke ich, dass Gewalt auch darin besteht, in dieser unmöglichen Geste von ihr zu mir, dieser auf immer steckengebliebenen Geste.

Ich habe ihre Stimme am Telefon gleich erkannt, es war zehn Uhr morgens, und sie flehte mich an zu kommen, bitte, sagte sie mehrere Male, sie müsse weggehen, Lucas' Mutter wisse etwas, sie werde bald anrücken und nachsehen, ich müsse kommen, sofort. Allein schaffe sie es nicht. Das wiederholte sie noch mehrere Male, allein schaffe ich es nicht.

Er war da, der Augenblick, den wir so sehr gefürchtet hatten. Der Augenblick, in dem No wieder einmal gezwungen sein würde, ihre Sachen zu packen. Es war zehn Uhr morgens, und die Linie war abgebrochen, die Bruchstelle war da, sichtbar. Es war zehn Uhr morgens, und ich würde weggehen, ich würde mit No weggehen. Ich holte die Sporttasche, die ich immer in die Ferien mitnehme, aus dem Wandschrank und legte sie offen aufs Bett. Ich packte einige Kleidungsstücke ein, schnappte mir Zahnbürste und Zahnpasta und warf sie zusammen mit ein paar rosa Wattebällchen und dem Gesichtswasser, das meine Mutter mir gekauft hat, in den Kulturbeutel. Das Atmen fiel mir schwer.

Meine Eltern waren früh aus dem Haus gegangen, um auf dem Markt einzukaufen. Ich würde weggehen, ohne sie zu sehen, ich würde mich wegstehlen wie ein Dieb, meine Kehle war wie zugeschnürt. Ich würde weggehen, weil es keine andere Lösung gab, weil ich No nicht allein lassen durfte, weil ich sie nicht im Stich lassen durfte. Ich machte mein Bett, ich zog das Betttuch stramm, klopfte das Kopfkissen auf und strich die Bettdecke glatt. Ich faltete mein Nachthemd und legte es obenauf in die Sporttasche. In der Küche fand ich ein paar Päckchen Kekse, ich legte sie zusammen mit einer Rolle Küchenkrepp dazu, dann setzte ich mich vor ein Blatt Papier, ich nahm den Stift in die Hand und suchte nach passenden Worten, nach angemessenen Worten, macht euch keine Sorgen, alarmiert nicht die Polizei, ich habe mich für ein anderes Leben entschieden, ich muss bis ans Ende gehen, bis ans Ende der *Dinge*, bitte verzeiht mir, seid mir nicht böse, jetzt ist es so weit, Adieu, Eure Euch liebende Tochter, aber alles erschien mir lachhaft, lächerlich, die Worte waren nicht auf der Höhe des Augenblicks, seiner Bedeutung, die Worte konnten weder die Notwendigkeit ausdrücken noch die Angst. Ich klappte den Block wieder zu, ohne etwas geschrieben zu haben. Ich schlüpfte in meinen Winterparka und zog die Wohnungstür hinter mir ins Schloss. Auf dem Treppenabsatz zögerte ich noch eine Sekunde, mein Herz schlug so schnell, eine Sekunde wie eine Ewigkeit, aber es war zu spät, da stand meine Tasche, und ich hatte meinen Schlüssel in der Wohnung gelassen.

Draußen ging ich schnell, ich überquerte die Straßen, ohne mich umzuschauen, die eiskalte Luft schnitt mir in die Kehle, ich rannte die Stufen hinauf und brauchte oben mehrere Minuten, um wieder zu Atem zu kommen. Lucas öffnete mir die Tür, er wirkte ähnlich panisch wie sie, er rannte hin und her, nahm hier etwas und da

etwas in die Hand, lief wieder ins Schlafzimmer und dann wieder hinaus. No saß reglos auf dem Bett.
Sie sah mich an, und es war wie eine Bitte, es war derselbe Blick wie der damals auf dem Bahnhof, an dem Tag, als sie mich gebeten hatte, mit ihr zu sprechen, noch ernster, noch angespannter, ein Blick, zu dem man nicht nein sagen kann. Ich suchte ihr etwas zum Anziehen, zog ihr die Kleider und die Schuhe an und kämmte ihr das Haar mit den Fingern. Ich sammelte die Sachen vom Boden auf und stopfte alles, was mir in die Hände geriet, in den Koffer, ich machte das Bett und öffnete das Fenster weit, um zu lüften.
No stand endlich auf und holte den braunen Umschlag, den sie in einem Wandschrank versteckt hatte, ich half ihr in ihren Blouson, ich sagte Lucas, wahrscheinlich habe mein Vater seine Mutter angerufen, er müsse sich gut überlegen, was er sage. Dann standen wir alle drei im Wohnungsflur, Lucas sah meine Tasche neben der Tür, ich zog No am Ärmel, wir durften keine Zeit verlieren. Die Frage stand im Raum, sie schwebte unausgesprochen zwischen uns, was machst du, Krümel, wohin gehst du, ich hielt seinem Blick stand, er wirkte hilflos. Ohne mich noch einmal umzusehen, drückte ich auf den Knopf vom Aufzug.

Dann waren wir auf der Straße, No und ich, es war eisig, in einer Hand hielt ich den Koffer, in der anderen die Tasche, ringsum war niemand zu sehen.
Ich werde nie mehr nach Hause zurückkehren, dachte ich, ich bin draußen, mit No, für den Rest meines Le-

bens. So können *die Dinge* kippen, dachte ich, genauso, ohne Vorwarnung, ohne Schild, so können *die Dinge* aufhören und nie wiederkommen. Ich bin draußen, mit No.

In einem nahe gelegenen Café machten wir halt, No hatte Geld. Sie wollte, dass ich ein Croissant nahm, Brot mit Butter und Marmelade und einen großen Kakao, sie bestand darauf, sie wollte, dass wir ein Super-Mega-Spitzenfrühstück hätten, sie wühlte in ihrem Umschlag und zog einen Zwanzig-Euro-Schein heraus. Wir verschlangen alles bis auf den letzten Krümel, es war warm, es ging uns gut. Mir schien, dass sich ihr Körper langsam beruhigte, sie zitterte weniger, sie bestellte noch einen Kakao, sie lächelte. Wir sind mindestens zwei Stunden dageblieben, wegen der Wärme, es erinnerte mich an die ersten Male, als ich mein Referat vorbereitete. Als alles möglich schien. Ich hatte keine besondere Lust, traurig zu sein, also erzählte ich ihr einen Sketch über Flugangst von Gad Elmaleh, dessen Comedy-Sendung ich ein paar Tage zuvor im Fernsehen gesehen hatte. Sie lachte. Danach redeten wir nicht mehr viel, wir sahen uns nur unsere Umgebung an, die Leute, ihr Kommen und Gehen, wir hörten den Gesprächen zu, die am Tresen geführt wurden, ich bin sicher, sie wäre eingeschlafen, wenn sie die Augen geschlossen hätte.

Sie war es, die ins Kino wollte, bitte, sagte sie, einmal noch, mir war es nicht recht, dass sie all das Geld ausgab, doch sie sagte wieder bitte, es ist so lange her, dass ich zuletzt im Kino war. Wir nahmen die Metro bis zum Forum des Halles, sie trug die Tasche und ich den Koffer,

von weitem sahen wir aus wie zwei Touristen auf der Suche nach ihrem Hotel.
Wir suchten uns aufs Geratewohl einen Film aus, wir lagen tief in den Sesseln, No kaufte Popcorn, sie bestand darauf, wir teilten uns die Tüte während der Werbung, mir war ein wenig schlecht, aber ich wollte ihr eine Freude machen. Ich glaube, gegen Ende hat sie ein bisschen geschlafen, ich tat, als hätte ich nichts bemerkt, sie hatte ohnehin nicht viel verpasst. Den restlichen Nachmittag verbrachten wir im Viertel, sie wollte immer nur kaufen, einen Schal für Lucas, Spangen für mich, Zigaretten, vor jedem Schaufenster blieb sie stehen, sie ging in die Läden, drängte mich, eine Kerze auszusuchen, Handschuhe, Ansichtskarten, immer wieder sagte sie, keine Sorge, und tätschelte ihren Blouson auf der Höhe der Innentasche. Ich musste so tun, als gefiele mir nichts, damit sie nicht alles Mögliche kaufte, ich konnte sie trotzdem nicht daran hindern, für sich und für mich eine Mütze auszusuchen, die gleiche. Gegen sechs setzten wir uns auf den Rand der Fontaine des Innocents, es war immer noch so kalt, wir teilten uns eine riesige Waffel mit Nutella und blieben sitzen, wir kommentierten die Leute, die vorbeikamen, sie bat mich, die Lebensgeschichten dieser Leute zu erfinden, wie früher, und ich ließ mir haufenweise Zeugs einfallen, immer verrücktere Sachen, um sie zum Lachen zu bringen. Ich redete, um zu vergessen, dass ich von zu Hause weggelaufen war, ohne eine Nachricht zu hinterlassen, ich redete, um nicht an die Gesichter meiner Eltern zu denken, an ihre Sorge, an die Möglichkeiten, die sie bestimmt bereits in Be-

tracht gezogen hatten, ohne wirklich daran zu glauben. Inzwischen war es so spät, dass sie wahrscheinlich Angst hatten, vielleicht hatten sie die Polizei benachrichtigt. Oder sie hatten gewartet, weil sie glaubten, ich würde zurückkehren, sie hatten Vertrauen zu mir, sie warteten immer noch. Ich sah meine Mutter auf dem Sofa, meinen Vater, wie er auf und ab ging, den Blick fest auf die Wohnzimmeruhr gerichtet. Es war dunkel geworden, ich hatte Angst, nicht dazu imstande zu sein, nicht die Kraft zu haben, ich verscheuchte das Bild, aber es kam zurück, wurde schärfer, ich verbannte es weit weg, ich hatte Lust, an diesem Ort zu sein, bei No.

Es war mir plötzlich so einfach erschienen, aus seiner Untermenge auszubrechen, mit geschlossenen Augen der Tangente zu folgen, wie ein Seiltänzer auf einer Linie zu gehen, mein Leben zu verlassen. Es war mir so einfach erschienen. Und schwindelerregend.

»Wir gehen nach Irland. Ich komme mit dir.«
No wandte sich mir zu, ihre Nase war rot, die Mütze tief in die Augen gezogen, sie antwortete nicht.
»Morgen nehmen wir vom Bahnhof Saint-Lazare den Zug nach Cherbourg, entweder ist es eine direkte Verbindung, oder wir müssen in Caen umsteigen. In Cherbourg gehen wir zum Hafen und kaufen Tickets, alle zwei Tage fährt ein Schiff, wenn ich es vorher gewusst hätte, hätte ich nachgesehen, wann genau, aber macht ja nichts, wir warten einfach. Und vom Hafen in Rosslare fahren Züge nach Wexford.«

Sie blies in ihre Hände, um sie zu wärmen, sie blickte mich lange an, und ich sah, dass sie mit den Tränen kämpfte.

»Willst du, dass ich mitkomme, ja oder nein?«

»Ja.«

»Willst du, dass wir morgen aufbrechen?«

»Ja.«

»Hast du genug Geld?«

»Mach dir darum keine Sorgen, ich hab's dir doch gesagt.«

»Wir sind achtzehn Stunden auf der Fähre, versprichst du mir, dass du während der ganzen Überfahrt nicht kotzt?«

Und dann schlugen wir uns in die Hände, um das Abkommen zu besiegeln, wir lachten, und zwar richtig laut, die Leute drehten sich nach uns um, aber das war uns scheißegal, wir würden nach Irland fahren, wo das Gras grüner ist und der Himmel weiter, wo No glücklich sein würde, wo Loïc sie erwartete. Ich sah der Spur unseres Atems in der Kälte nach und stampfte mit den Füßen auf, um wieder warm zu werden, dann standen wir auf und liefen einfach so herum. Es musste mindestens zehn Uhr abends sein, der Verkehr war nicht mehr so dicht, auf dem Boulevard Sébastopol gingen wir immer weiter Richtung Norden. Wir waren auf der Straße. Wir lebten auf der Straße. Wir hatten keinen Ort, wo wir schlafen konnten. No sagte mir, ich solle meine Mütze anziehen und mein Haar darunter stopfen, um nicht erkannt zu werden. Jeder Schritt an ihrer Seite entfernte mich von zu Hause, jeder Schritt in die Nacht erschien mir unumkehrbar. Ich hatte Bauchschmerzen.

Am Anfang des Boulevard de Strasbourg kannte No ein Hotel, wo wir die Nacht verbringen konnten.

Der Wirt erkannte sie und verlangte, dass sie im Voraus zahlte. No zog einige Geldscheine aus dem Umschlag. Ich hätte gern gesehen, wie viel noch übrig war, doch sie steckte ihn sofort wieder weg. Er gab uns einen Schlüssel, und wir gingen nach oben ins Zimmer. Die Wände waren vergilbt und schmutzig, es roch nach Urin, die Bettwäsche wirkte nicht sehr sauber, die dunklen Spuren in der Dusche ließen darauf schließen, dass sie schon lange nicht mehr geputzt worden war. Hier also hatte sie vor unserer ersten Begegnung geschlafen, wenn sie genug Geld hatte. In einem solchen elenden Loch also hatte sie sich aufs Bett fallen lassen, wenn die Bettelei einträglich gewesen war. Das also musste man für ein schmutziges Zimmer voller Kakerlaken zahlen.

No ging noch einmal nach draußen, um einen Hamburger zu kaufen, sie wollte nicht, dass ich mitging. Ich blieb allein im Zimmer zurück, mir wurde einfach nicht warm. Ich suchte nach dem Heizkörper, und dann dachte ich an mein eigenes Zimmer, an meinen Regenbogen-Bettbezug, an mein altes gelbes Kaninchen, das auf einem Regal hockte, an die Schiebetüren meines Kleiderschranks, ich dachte an meine Mutter, an ihre Art, aus der Küche nach mir zu rufen, sich die Hände an dem neben der Spüle hängenden Tuch abzutrocknen, ihre Art zu lesen, quer im Sessel sitzend, an ihren Blick über die Brillengläser hinweg, ich dachte an meine Mutter, und mit einem Mal fehlte sie mir, es war wie in einem Aufzug im freien Fall. Zum Glück kam No zurück, sie hatte zwei Cheeseburger gekauft, dazu Pommes, Milkshakes und eine kleine Flasche Whisky. Wir setzten uns aufs Bett, sie fing an zu trinken und drängte mich zu essen, solange es noch heiß war, ich dachte an den Umschlag, viel konnte nicht mehr drin sein, nachdem wir so viel ausgegeben hatten. Und dann dachte ich mir, dass wir notfalls per Anhalter nach Cherbourg kommen würden, und dann würden wir schon weitersehen. No kletterte vom Bett, in Slip und T-Shirt, griff nach der Flasche wie nach einem Mikro und legte mir eine Johnny-Hallyday-Imitation hin, es war zum Totlachen, wir sangen aus vollem Hals *que je t'aime que je t'aime* und *allumez le feu*, es war uns scheißegal, dass die Leute gegen die Wand klopften, scheißegal, dass es nach totem Fisch roch, scheißegal, dass Tiere über die Wände huschten, wir beide waren zusammen, wir würden abhauen, uns vom Acker machen, wir würden weit weggehen.

Als wir uns schlafen legten, hatte sie die Flasche geleert, einige Pommes waren auf den Boden gefallen, ich hatte mein Nachthemd mit dem Mond darauf nicht angezogen und mir nicht die Zähne geputzt, ich war leicht wie noch nie, in meinem Kopf war alles ruhig, so ruhig war es noch nie gewesen, und so klar, es gab keine Wörter mehr, nur noch Gesten, ich schubste weg, was noch auf dem Bett lag, wir schlüpften unter die Decken, und ich knipste das Licht aus.

Am nächsten Tag wachte ich um acht Uhr auf, es war Montag, ich dachte an Lucas, ich dachte an Monsieur Marin, der wahrscheinlich gerade die Namen aufrief, und sagte sie im Kopf gemeinsam mit ihm auf, Armand, anwesend, Antoine, anwesend, Berthelot, anwesend, Bertignac? … Ich sah ihn vor mir, als wäre ich dabei, ich hörte das Schweigen in der Klasse. Mademoiselle Bertignac ist nicht da, Mademoiselle Bertignac hat ihr Leben verlassen, Mademoiselle Bertignac ist verschwunden. No wachte erst viel später auf, inzwischen hatte ich die Sachen in den Koffer gepackt, die Reste der Cheeseburger weggeworfen und die Blumen auf der Tapete gezählt. Wir nahmen die Metro bis zur Gare Saint-Lazare, uns gegenüber stand ein Mann unaufhörlich auf und setzte sich wieder, er prüfte seinen Kragen, rückte die Krawatte zurecht, betrachtete sich in der Fensterscheibe, und einige Sekunden später wiederholte er die gleichen Bewegungen in derselben Reihenfolge. Das war nun wirklich der Beweis, soweit überhaupt noch nötig, dass etwas nicht stimmte. Man brauchte sich bloß umzuschauen. Man braucht bloß den Blick der Leute zu sehen, man braucht bloß zu zählen, wie viele Menschen Selbstgespräche führen oder sonst wie entgleisen, man braucht nur mit der Metro zu fahren. Ich dachte an die Nebenwirkungen des Lebens, die auf keinem Beipackzettel, in keiner Gebrauchsanweisung genannt werden.

Ich dachte, auch das sei Gewalt, ich dachte, die Gewalt sei überall.

Der Wind fegte durch den Bahnhof, wir gingen bis zur Anzeigetafel mit den Abfahrtszeiten, der nächste Zug nach Cherbourg fuhr zwei Stunden später ab. Dann gingen wir zum Warteraum, um unser Gepäck abzustellen, und setzten uns auf die am weitesten von der Tür entfernten Plastiksitze, sie rollte sich eine Zigarette und sagte, ich hol die Fahrkarten, warte hier auf mich.
Ich weiß nicht, wieso ich nicht gesehen habe, dass sie den Koffer mitnahm, ich weiß nicht, wie das möglich war. Ich fragte sie noch einmal, ob sie genug Geld habe, sie sagte noch einmal, mach dir keine Gedanken, ich beugte mich über die Tasche, um ein Papiertaschentuch zu suchen, als sie ging. Ich habe es nicht gesehen, ich habe nicht gesehen, dass sie den Koffer hinter sich herzog.
Ich wartete darauf, dass sie zurückkam. Ich machte mir keine Gedanken. Ich wartete eine halbe Stunde. Und dann noch eine. Und dann bemerkte ich, dass der Koffer nicht mehr da war. Ich wartete weiter, weil es sonst nichts zu tun gab. Weil sie nicht ohne mich fortgegangen sein konnte. Ich wartete, weil ich Angst hatte, wir könnten uns verlieren. Ich wartete und rührte mich nicht vom Fleck, damit sie wusste, wo ich war. Ich wartete, und es wurde dunkel. Ich glaube, ich bin ein bisschen eingeschlafen, einmal war mir, als hätte mir jemand von hinten auf die Schulter geklopft, ich schlug die Augen auf, doch sie war nicht da. Ich wartete, und sie kam nicht zurück.

Es war kalt, ich hatte seit dem Morgen nichts mehr gegessen. Schließlich verließ ich den Bahnhof, der letzte Zug nach Cherbourg war gerade abgefahren, ich ging über den Bahnhofsvorplatz bis zur Rue Saint-Lazare, ringsum war all dieser Lärm, die Autos, die Busse, das Hupen, mir drehte sich der Kopf, ich blieb stehen und streichelte in meiner Hosentasche das kleine Opinel-Messer, das Lucas eines Tages auf dem Schulhof fallen lassen hatte, ohne es zu bemerken, und das ich seither immer bei mir trug.
No hatte mich verlassen. No war ohne mich fortgegangen.
Um mich herum war nichts verstummt, um mich herum ging das Leben weiter, laut und chaotisch.

Wir sind zusammen, Lou, oder, wir sind zusammen, vertraust du mir, du vertraust mir, ruf mich an, wenn du gehst, ich erwarte dich unten an der Treppe, ich erwarte dich vor dem Café, es wird besser bezahlt, aber ich muss nachts arbeiten, lass mich schlafen, ich bin total platt, ich kann mich nicht mehr rühren, nur nicht darüber sprechen, wir sind zusammen, Lou, wenn du mich zähmst, wirst du für mich einzig sein auf der Welt, ich habe gesagt, ich möchte Suzanne Pivet sprechen, wenn du mitkommen könntest, du stellst dir zu viele Fragen, dir brennen noch die Neuronen durch, wir sind zusammen, oder, du kommst also mit, ich werde nie zu deiner Familie gehören, Lou, was glaubst du denn, du kommst also mit, ich hole die Fahrkarten, das ist nicht dein Leben, verstehst du, das ist nicht dein Leben.

Ich bin zu Fuß nach Hause gelaufen, ich hatte kein Metro-Ticket, ich hatte nichts. Ich bin lange gelaufen, ich habe mich nicht beeilt, ich habe niemanden um Hilfe gebeten, ich bin nicht zur Polizei gegangen. Meine Tennisschuhe drückten. Mir war gerade etwas passiert. Etwas, dessen Sinn ich begreifen musste, dessen Tragweite ich erfassen musste, fürs ganze Leben. Ich habe weder die Ampeln gezählt noch die Twingos, ich habe keine Multiplikationen im Kopf durchgeführt, ich habe weder Synonyme für Erbenlosigkeit gesucht noch eine Definition von Veranlagung. Ich sah gerade vor mich hin, während ich ging, ich kannte den Weg, mir war etwas passiert, das mich größer gemacht hatte. Ich hatte keine Angst.

Ich klingelte an der Tür, meine Mutter machte auf. Ich sah ihr völlig aufgelöstes Gesicht, ihre roten Augen. Sie stand vor mir, sie schien keinen Laut zustande zu bringen, und dann zog sie mich an sich, ohne ein Wort, sie weinte, wie ich sie noch nie hatte weinen sehen. Ich weiß nicht, wie lange es dauerte, dieses Schweigen, ihr vom Schluchzen geschüttelter Körper, mir tat alles weh, aber ich weinte nicht, es tat weh wie noch nie. Schließlich sagte sie, du hast uns Angst gemacht, und ging ins Wohnzimmer, um meinen Vater zu benachrichtigen, der auf der Polizeiwache war.

Lucas und ich warteten noch einige Wochen, bevor wir zu Geneviève fuhren, wir nahmen die Metro bis zur Porte de Bagnolet und schnappten uns einen Einkaufswagen, bevor wir den Supermarkt betraten, wir ließen uns von der Musik treiben, Glocken läuteten, und es gab einen ganzen Gang voller Ostereier. Wir stellten uns an der Fleischtheke an, Geneviève erkannte mich, sie habe in einer Viertelstunde Pause, sagte sie, sie komme dann zu uns in die Cafeteria.

Wir setzten uns mit einer Cola unter die orangefarbenen Plastiklampenschirme und warteten. Als sie in ihrem Spitzenhäubchen kam, hatte sie nur zwanzig Minuten Zeit, Lucas wollte sie zu einem Getränk einladen, doch sie lehnte ab. Ich dachte, No hätte ihr vielleicht eine Karte geschrieben, zur Erinnerung an die Zeit, die sie beide gemeinsam mit Loïc verbracht hatten, sie hätte ihr vielleicht sagen wollen, dass sie nun in Irland sei und es ihr bessergehe. Doch Geneviève hatte nichts von ihr gehört. Sie erzählte uns von Loïc genau dasselbe, was mir No erzählt hatte, dass er nach Irland gegangen sei und zu schreiben versprochen habe. Doch No hatte nie Post bekommen. Weder im Internat noch später. Von einem Erzieher hatten sie gehört, Loïc lebe in Wexford und arbeite in einer Bar. Er hat nie geschrieben.

Monsieur Marin hat seine Stunde beendet, wir haben mitgeschrieben und uns kein Wort entgehen lassen, obwohl heute letzter Schultag ist. Er hat eine Viertelstunde vor dem Klingeln Schluss gemacht, damit wir Zeit haben, die Klasse aufzuräumen. Wir nehmen die Poster von der Wand und rollen sorgsam die Karten und Zeichnungen auf, der Klassenraum soll in den Ferien gestrichen werden. Im nächsten Schuljahr zieht Lucas zu seiner Mutter nach Neuilly, sie wollen die Wohnung verkaufen. Im nächsten Schuljahr gehe ich zu Léa Germains Geburtstagsparty, sie hat es mich vor Zeugen versprechen lassen. Im nächsten Schuljahr ist Monsieur Marin nicht mehr da, er geht in den Ruhestand. Er wirkt ein bisschen traurig, obwohl er klagt, das Niveau sinke von Jahr zu Jahr, es werde immer schlimmer, er wolle lieber aufhören, bevor er eine Hammelherde unterrichten müsse.

Ich sehe durchs Fenster auf den hellen Himmel. Sind wir so klein, so unendlich klein, dass wir nichts ausrichten können?

Wir verlassen den Klassenraum, meine Klassenkameraden verabschieden sich herzlich von Monsieur Marin, auf Wiedersehen, Monsieur Marin, alles Gute, schöne Ferien, erholen Sie sich gut.

Als ich durch die Tür gehen will, spricht er mich an.
»Mademoiselle Bertignac?«
»Ja?«
»Ich möchte Ihnen etwas geben.«
Ich gehe zu seinem Pult. Er hält mir ein altes, in Packpapier eingeschlagenes Buch hin. Ich nehme es und öffne es auf der ersten Seite, ich komme nicht dazu, den Titel zu lesen, nur seinen Namen, in blauer Tinte: Pierre Marin, 1954.
»Dieses Buch ist für mich sehr wichtig gewesen, als ich ein junger Mann war.«
Das Papier ist vergilbt, das Buch scheint vier oder fünf Jahrhunderte überdauert zu haben. Ich danke ihm, ich bin jetzt allein mit ihm im Klassenraum und fühle mich sehr eingeschüchtert, ich weiß überhaupt nicht, was man in solchen Fällen sagt, ich bin sicher, es ist ein sehr schönes Geschenk, ich danke ihm erneut. Ich gehe auf die Tür zu, er spricht mich noch einmal an.
»Mademoiselle Bertignac?«
»Ja?«
»Geben Sie nicht auf.«

Geneviève ist wieder in ihre Fleischabteilung zurückgekehrt, sie hat uns noch einmal zugewinkt, bevor sie verschwand.

Ich sah wohl ein bisschen traurig aus, denn Lucas strich mir sehr sanft mit der Hand übers Gesicht.

Er näherte seinen Mund meinem Mund, ich spürte erst seine Lippen und dann seine Zunge, und unser Speichel mischte sich.

Da begriff ich, dass unter all den Fragen, die ich mir stelle, die nach der Drehrichtung der Zunge nicht die wichtigste ist.

Mai 2006 – März 2007

Delphine de Vigan

Ich hatte vergessen, dass ich verwundbar bin

Roman

Hoffen wir nicht alle immer wieder einmal auf eine Begegnung, die unser Leben verändert und zum Guten wendet?
Mathilde hält sich für eine starke Frau, tatkräftig und entschlossen. Sie ist alleinerziehende Mutter von drei wundervollen Jungen, und sie liebt ihre Arbeit. Wozu sollte sie sich eine Veränderung wünschen?
Doch die Veränderung kommt. Mathildes Chef beginnt sie zu mobben, immer stärker leidet sie unter der Situation im Büro. Da prophezeit ihr eine Wahrsagerin eine ganz besondere Begegnung, und Mathilde hofft. Doch worauf? Auf das befreiende Gespräch mit ihrem Chef? Auf die Rückkehr ihrer alten Stärke? Oder auf die Begegnung mit einem ganz besonderen Mann? Der prophezeite Tag bricht an …

Droemer

Agnès Desarthe

Mein hungriges Herz

Roman

Einst wurde Myriam von ihrer Familie verstoßen. Seitdem sucht sie nach Erlösung und nach ihrem Weg. Zu lange musste sie sich verstellen, um den Ansprüchen anderer gerecht zu werden. Zu lange war sie nur Zuschauerin ihres eigenen Lebens. Nach Jahren zielloser Wanderschaft eröffnet sie in Paris ein Lokal, das Chez moi heißt. Ihr Restaurant ist klein und von der Eigenwilligkeit und Phantasie der Besitzerin geprägt: Viel wichtiger, als Vorschriften zu beachten, ist es für Myriam, dass jeder sich bei ihr wohl und ungezwungen fühlt. Schon bald wird das Chez moi zum Lieblingstreffpunkt des Viertels, und sie findet in ihren Nachbarn und Gästen eine neue Familie. Doch kann man die Vergangenheit einfach so hinter sich lassen?

»›Mein hungriges Herz‹ ist ein wahres Festmahl aus Wörtern, Düften, Poesie, Feinfühligkeit, Witz und Humor, aber auch aus tiefsinnigen Überlegungen und heiterer Melancholie.«
Le Monde des Livres

Knaur Taschenbuch Verlag